PETER BROCKMANN - SCHWIMMSCHULE

PETER BROCKMANN

Schwimmschule

ARBEITSHILFEN
FÜR DEN
SCHWIMMUNTERRICHT

WILHELM LIMPERT-VERLAG GMBH FRANKFURT/MAIN

2. erweiterte und verbesserte Auflage 1970

Verlagsnummer: 11 501
Zeichnungen: Karlheinz Grindler
Fotos: Peter Brockmann
Die Veröffentlichung der Fotos von Uta Frommater
erfolgt mit ihrer ausdrücklichen Genehmigung.
Gesamtherstellung: Hans Meister KG, Kassel
Printed in Germany 1970

INHALT

VORBEMERKUNG

Baden und Schwimmen gewinnen an Bedeutung. Es werden ständig neue und bessere Schwimmstätten geschaffen. Das Angebot an Schwimmkursen wächst. Vermehrte Freizeit und sich ändernde Lebens- und Urlaubsgewohnheiten steigern auch das Bade- und Schwimmbedürfnis. Schwimmvereine und -verbände fördern Schwimmen und Retten. Das Schulschwimmen schließlich besitzt grundlegende Bedeutung. Das Erlernen des Schwimmens und die Erziehung zum Schwimmen sind daher heute wie früher permanente Bildungsanliegen.

Sinn und Aufgabe der **Schwimmschule** sind, Lehrkräften und Studierenden fundierte und moderne Arbeitshilfen zu bieten, Schwimmern und Laien autodidaktische Versuche zu ermöglichen sowie Eltern anzuregen, auch zum Üben mit ihren Kleinkindern. – Für die **2. Auflage** ist die Gesamtkonzeption der 1. Auflage unverändert beibehalten. Der Text ist an einigen Stellen verbessert. Neu angefügt sind Bade- und Schwimmregeln sowie Fotos. Sportliches Leistungsschwimmen und Wettkampftraining sind bewußt nicht aufgenommen.

Die Voraussetzungen und Grundlagen für jede Lehrweise des Schwimmens sind im **Vorkursus** behandelt.

Das Erlernen, Üben, Gestalten und Anwenden der einzelnen **Schwimmtechniken** sowie der Grundformen von **Springen, Starten, Wenden** und **Tauchen** ist eindeutig, aber variabel dargestellt.

Die systematische Gliederung in **Ziel, Ausführung, Übungsbeispiele** und **mögliche Fehler** unterstützt das didaktische Bemühen sowohl für Einzelstunden als auch für den gesamten Schwimmunterricht, läßt jedoch gleichzeitig individuelle Varianten bei gewählten Teilzielen oder Übungsfolgen zu. Zahlreiche **Skizzen** und **Fotos** veranschaulichen die wesentlichen Bewegungsvorgänge. Die übersichtliche und kompakte Gestaltung auf jeweils abgeschlossenen Seiten erleichtert eine praxisgerechte Nutzung.

Bei **Ziel** sind das Bewegungs- und Unterrichtsziel sowie methodische Hinweise beschrieben.

Bei der **Ausführung** der Bewegung ist die Standardausführung, die sportliche Grundform, dargestellt.

Die **Übungsbeispiele** sind in methodischer Reihenfolge gegliedert. Sie lassen sich ergänzen oder verändern und müssen nicht alle geübt und beherrscht werden. Wichtige **Kernübungen** sind mit **K, Partnerübungen** mit **P** gekennzeichnet.

Bei den **möglichen Fehlern** sind häufige Fehler und Fehlerquellen angegeben, so daß diese vermieden, erkannt und korrigiert werden können.

Oldenburg, im Januar 1970

Peter Brockmann

ZUR DIDAKTIK DES SCHWIMMENS

BEDEUTUNG UND WIRKUNG

Es ist eine allgemeine Erkenntnis, daß das Schwimmen zu den ältesten, vorzüglichsten und gesündesten Leibesübungen gehört. Schwimmenkönnen war im Altertum Brauchkunst und eine Selbstverständlichkeit. Die Griechen bezeichneten einen Menschen, der weder schwimmen noch lesen konnte, als ungebildet. Zudem ist das Schwimmen eine Leibesübung, die man von früher Kindheit an bis ins hohe Alter hinein ausüben und differenzieren kann. Das ist in dieser Weise bei anderen Leibesübungen nicht oder nur selten möglich.

Von den rein sportlichen Ausprägungen abgesehen, ist das Schwimmen hervorragend geeignet, erforderliche Wachstums- und Entwicklungsreize zu geben, vor allem durch die ideale Verbindung von Bewegung, Licht, Luft und Wasser und den starken Erlebnischarakter.

Für den modernen Menschen bedeuten Baden und Schwimmen Erholung und sinnvolle Freizeitbeschäftigung. Schwimmen und Rettungsschwimmen sind für Badegäste und Bootsbesitzer geradezu notwendig geworden.

Die Vielseitigkeit und Wirksamkeit des Badens und Schwimmens werden auch durch ihre prophylaktische und therapeutische Anwendung in der Krankenbehandlung und im Schulsonderturnen sowie für Körperbehinderte, Versehrte und Schwangere deutlich.

Folgende Wirkungen und Werte des Badens und Schwimmens werden allgemein herausgestellt:

1. Organschulung durch Kräftigung von Blutkreislauf, Herz- und Lungentätigkeit, durch intensives Hauttraining, durch Abhärtung und durch Förderung der Stoffwechsel- und Verdauungsprozesse.
   Vitalkapazität, Energieverbrauch und Stoffwechselumsatz sind bei Schwimmern ähnlich wie bei Läufern, Skiläufern und Ruderern relativ groß.
2. Muskelschulung durch Beteiligung vieler, zum Teil sonst wenig benutzter Hauptmuskelgruppen und durch die hohe organische Beanspruchung.
3. Schulung von Koordination, Rhythmik und Korrelation der Bewegungen.
4. Haltungsverbesserung durch Entwicklung und Stärkung der Organe, Muskeln und Koordinationsfähigkeit sowie durch Entlastung der Wirbelsäule und der inneren Organe durch den Auftrieb im Wasser.
5. Erlebnis und Steigerung der Freude, Beruhigung und Stärkung der Nerven, Auflockerung des Gemüts, Erhöhung von Leistungsbewußtsein und Selbstvertrauen.
6. Allgemeine Erfrischung, Entspannung und Erholung.
7. Entwicklung und Förderung von sozialen Kräften im Spiel und in der Gesellschaft sowie von ethischer Verpflichtung beim Rettungsschwimmen.

ZIEL DES ANFÄNGERSCHWIMMUNTERRICHTS

Eltern und Erzieher stimmen in ihren Auffassungen überein, daß man das Schwimmen rechtzeitig erlernen sollte. Auf jeden Fall sollte das Kind vor Eintritt der Vorpubertät mit der Auflösung der kindlichen Strukturen, mit der Verminderung von Bewegungsfreude und -koordination und mit dem Haltungsverfall und Leistungsrückgang schwimmen können.

Auf der Entwicklungsstufe des Großkindalters, vor allem in deren Mittelphase und besonders in deren Endphase, ist das Kind in sich gefestigt. Sein Längen- und Breitenwachstum ist ausgeglichen, seine Herz-Kreislaufverhältnisse sind günstig. Überhaupt befinden sich Leib, Seele und Geist in selten ausgewogener Harmonie. Bewegungsvermögen und Koordinationsfähigkeit des Kindes, sein Lernwille und seine Leistungsbereitschaft, seine Unbekümmertheit und sein Selbstvertrauen befähigen es zu raschem und sicherem Erlernen neuer Bewegungstechniken und zu guten Leistungen: Das ist das richtige Alter, um das Schwimmen zu erlernen. Natürlich können Kinder auch schon früher und Jugendliche und Erwachsene noch später schwimmen lernen, dann aber meistens mit großem Zeit- und Energieaufwand und mit weitaus schlechterer Bewegungskoordination und Leistung.

Richtlinien und Erlasse der Kultusministerien sehen den Beginn des Schwimmunterrichts für das 1. Schuljahr vor und fordern für die 9- bis 11jährigen Schüler der 2. Bildungsstufe den Erwerb des Freischwimmerzeugnisses.

Im Anfängerschwimmunterricht soll man dabei jedoch nicht in enger Begrenzung so verfahren, nur eine Schwimmtechnik zu vermitteln und die Fertigkeit des „Freischwimmens" in wenigen Übungsstunden anzusteuern, sondern man soll sein Ziel darin sehen, daß mit dem Erwerb des Freischwimmerzeugnisses auch eine gewisse Wassersicherheit gewonnen wird. Leider wird vielfach zu früh mit dem Erlernen der Schwimmbewegungen begonnen, statt daß durch Spiele, Bewegungsaufgaben und Übungen, wie sie im Vorkursus beschrieben werden, überhaupt ausreichende Grundlagen und Voraussetzungen dafür geschaffen werden. So kann man häufig bei Kindern wie bei Erwachsenen den Typ des „Freischwimmers" antreffen, der hastig schwimmt, den Kopf ängstlich über Wasser hält und bei einer Welle, die ihm ins Gesicht spritzt, unsicher wird.

Der Anfängerschwimmunterricht geht durch vielfältige Übungsformen und höhere Leistungen sowie durch das Erlernen verschiedener Schwimmtechniken über das Teilziel des Freischwimmens hinaus. Es schließen sich einfache Formen des Selbstrettens und Rettens an: Jugendschein, später Grundschein der Deutschen Lebens-Rettungs-Gesellschaft (DLRG). Eine weitere Fortsetzung ist das sportliche Leistungsschwimmen.

ANFANGSSCHWIMMART

Die Frage nach der Anfangsschwimmart, die besonders in den zwanziger Jahren und später zu Kontroversen in der Fachwelt führte, wird heute fast einheitlich beantwortet. Bis auf wenige Ausnahmen bevorzugen Lehrkräfte und Laien das Brustschwimmen als Anfangsschwimmart zum Erwerb des Freischwimmerzeugnisses; denn ein Schwimmschüler ist kaum in der Lage, die Leistung von 15 Minuten Dauerschwimmen etwa mit Kraul- oder Rückenkraulschwimmen zu erreichen.

Beim Kraulschwimmen sind die Einzelbewegungen der Arme und Beine zwar relativ leicht zu erlernen; jedoch treten für den Schwimmschüler bei der Koordination der Bewegungen und vor allem bei der Atmung große Schwierigkeiten auf. Beim Schwimmen in Rückenlage sind die Orientierungsmöglichkeit und damit die Schwimmleistung bei Anfängern stark eingeschränkt.

Vorteile des Brustschwimmens anderen Schwimmarten gegenüber sind dagegen:

1. Funktion und Kontrolle des Atmens sind wesentlich erleichtert. Richtiges Atmen bedingt richtiges Schwimmen (und umgekehrt) und verbessert den Auftrieb.
2. Funktion und Orientierung für Auge und Ohr sind relativ ungehindert (Gefühl der Sicherheit).
3. Die Leistung von 15 Minuten Dauerschwimmen kann von Schwimmschülern eher und müheloser erreicht werden (Ausdauer und Kondition).

ZUR AUSFÜHRUNG DER BEWEGUNG

A. Die moderne Didaktik des Schwimmens gestattet und fordert, daß nach dem Vorkursus, der die allgemeinen Voraussetzungen und Grundlagen zum Erlernen des Schwimmens schafft, gleichzeitig oder sofort nacheinander zwei oder mehr verschiedene Schwimmtechniken gelehrt werden. Erst dann sollte das Freischwimmerzeugnis erworben werden.

Die Beschreibung einer bestimmten **Schwimmart** wird immer die allgemeine Norm, die Standardausführung, eben dieser Schwimmart treffen müssen. Diese Standardausführung einer Schwimmart wird als **Schwimmtechnik** bezeichnet. Von ihr hat jeder auszugehen. Dabei ist zu beachten, daß es bei jeder Schwimmtechnik als der allgemeinen, ökonomischen und genormten Bewegungsausführung so viele individuelle Varianten gibt, wie Schwimmer diese Technik anwenden.

Diese stets individuell ausgeprägte Bewegungsausführung des Schwimmschülers wie des Leistungsschwimmers ist immer als eine für das Individuum mögliche und gültige Variante anzusehen. Im Gegensatz zur allgemeinen und genormten Schwimmtechnik wird sie als persönlicher **Schwimmstil** eines Schwimmers angesprochen. Dieser ist nicht zuletzt durch Konstitution, Kondition und Temperament des Schwimmers bestimmt.

Für Schwimmlehrer, Schwimmschüler und Schwimmer besteht nun die Aufgabe, diese individuelle Variante einer Technik zu einer optimalen Ausführung und Leistung zu bringen. Das gilt beispielsweise auch für das Skilaufen wie für das Autofahren, für das Sprechen wie für das Schreiben. Für das Erlernen dieser Techniken und Vorgänge bestehen jeweils Ausgangs- oder Normausführungen bzw. -vorschriften, die im Laufe der Zeit individuell ausgeprägt werden.

B. Jede Ausführung einer Schwimmtechnik ist immer eine ganzheitliche, einheitliche **Gesamtbewegung** (Bewegungsganzheit oder Bewegungseinheit). Das Aufteilen dieser Gesamtbewegung in Einzelbewegungen der Arme und Beine, die für sich wieder kleinere Bewegungsganzheiten sind, geschieht aus didaktischen Gründen. So werden unter Berücksichtigung didaktischer Grundsätze die Einzelbewegungen der Arme und Beine als ganzheitlich-rhythmische Bewegungen aufgefaßt und gelehrt, erlernt und vervollkommnet. Jede Einzelbewegung ordnet sich dabei der jeweiligen Ganzheit und Einheit der Gesamtbewegung unter.

Im Zusammenhang mit der Gesamtbewegung ist der Begriff der Koordination zu sehen. Unter **Koordination** der Bewegungen wird das Zusammenwirken der Einzelbewegungen der Arme und Beine mit Einbeziehung der Atmung in einem rhythmischen, harmonischen und ganzheitlichen Bewegungsablauf verstanden. Die Koordination beruht auf dem neuro-muskulären Zusammenspiel. — Hier ist anzumerken. daß beim Erlernen neuer Bewegungsformen allgemein eine unnötige Mit-Innervation und ein überflüssiger Bewegungsluxus zu beobachten sind: Der Lernende besitzt noch kein Gefühl für den Bewegungsablauf und übt mit zu großem Krafteinsatz. Er ist verkrampft, aufgeregt, unsicher.

Erst nach längerer Zeit des Übens kommt es zur gewünschten Innervation und **Konzentration** der Bewegung: Der Bewegungsablauf wird ökonomischer, harmonischer, effektiver, sicherer: Die Gesamtbewegung verläuft nun koordiniert und konzentriert.

Das gezielte Üben durch intensives Training mit seinen speziellen Methoden führt später zur **Automation** der Bewegung mit Maximalleistungen und Rekorden. —

In enger Beziehung zur Koordination der Bewegungen steht die Korrelation der Bewegungen. Als **Korrelation** der Bewegungen wird die Wechselbeziehung, das gegenseitige Entsprechen der Einzelbewegungen bei der Koordination verstanden. Wird beispielsweise beim Brustschwimmen die Armbewegung weit und langsam ausgeführt, dann soll die Beinbewegung dazu entsprechend weit und langsam sein. Ist die Beinbewegung dagegen eng und schnell, dann soll die Armbewegung dazu korrelierend auch eng und schnell erfolgen.

Zusammengefaßt ist das **Bewegungsziel:** Die gesamte Schwimmbewegung soll in ihrem Bewegungsablauf koordiniert sein, die Einzelbewegungen sollen in ihrer Ausführung in direkter Korrelation stehen.

ZUR METHODE DES SCHWIMMUNTERRICHTS

A. Beim Schwimmunterricht ist darauf zu achten, daß sachlogische und organisatorische Voraussetzungen sowie psychologische Aspekte und pädagogische Prinzipien berücksichtigt werden.

Als **Unterrichtsarten** werden der **Frontalunterricht** für die gesamte Schwimmabteilung oder -gruppe, der **differenzierende Unterricht** für Leistungs- und Übungsgruppen sowie der **individualisierende Unterricht** für Partner- und Einzelarbeit angewendet.

Je nach Unterrichtsziel und Übungsstoff, Leistungsstand und äußeren Gegebenheiten wählt und wechselt man beim Schwimmunterricht zwischen diesen drei Unterrichtsarten. Für Schwimmanfänger sollte die differenzierende und individualisierende Unterrichtsart weitgehend angewendet werden.

Der Einzelunterricht für Fortgeschrittene oder für Leistungsschwache sowie das selbständige Üben allein oder mit Partnern ist beim Schwimmen besonders wichtig. Der Wert der selbständigen, freien Einzel-, Partner- oder Gruppenarbeit liegt darin, daß Auswahl, Form und Dauer der Übung ganz oder vorwiegend in der Entscheidung der Übenden selber liegen. Die Bedeutung des Bewegungsvorbildes und der Lehrerkorrektur wird durch diese Prinzipien nicht eingeschränkt. —

Das Aufteilen in verschiedene Leistungs- und Übungsgruppen soll nicht für zu lange Zeit konstant sein. Es soll je nach Leistungsfortschritt oder -stagnation zu gegebener Zeit verändert oder beibehalten werden und muß sich ferner auch von organisatorischen Gesichtspunkten leiten lassen. Die Höchstzahl einer Schwimmgruppe im Wasser ist mit 15 Schülern begrenzt. Unter Umständen können aber schon 10 Schüler oder weniger nicht mehr vorschriftsmäßig beaufsichtigt werden. Beim Differenzieren in der Leistungsanforderung ist pädagogisch zu verfahren. Der Ängstliche und Schwache ist in seiner ihm adäquaten Gruppe zu fördern und zu seinem, wenn auch noch so bescheidenen Erfolgserlebnis kommen zu lassen. Der Geschickte und Leistungsstarke ist mit erhöhten Leistungen zu fordern und kann zu Helferdiensten herangezogen werden.

Für den Schwimmanfänger wie für den Fortgeschrittenen, für den „Normal"-Schwimmer wie für den Sportschwimmer aber gilt, daß beim Schwimmen die Freude an der Bewegung und am Element, das Erlebnis der eigenen Leistung im Sinne einer Optimalleistung und das Bewußtsein des Könnens und Fortschritts geweckt, vermittelt und gefördert werden.

Diese Prinzipien der Bewegungsfreude, des Erfolgs- und Leistungserlebnisses und des Könnensbewußtseins sind die Antriebe, die generell in der Leibeserziehung gültig sind und die speziell den Schwimmunterricht und prinzipiell die Einstellung des Menschen zum Baden und Schwimmen positiv mit beeinflussen.

B. Das **Erziehungsverhältnis** zwischen Schwimmschüler und Schwimmlehrer muß auf gegenseitiges Vertrauen gegründet sein und erfordert beiderseitige Geduld. Der Lehrer muß auf Abneigung, Scheu, Angst, Unsicherheit und Unvermögen seiner Schüler genauso eingestellt sein wie auf Erlebnishunger, Unbekümmertheit, Wagemut, Sicherheit, Aktivität und Leistungsvermögen.

Zaghafte und ängstliche Schwimmschüler sollen durch sinnvolle Spielmöglichkeiten und Bewegungsaufgaben abgelenkt werden und sich selbständig an das fremde Element gewöhnen dürfen. Abneigung und Angst vor dem Wasser sind keine Abnormitäten im Verhalten oder Charakter des Schwimmschülers. Sie sollten zunächst als Folge eines entsprechenden pädagogischen Verhaltens oder didaktischen Handelns des Lehrers gewertet werden. — Hierzu ist allgemein anzumerken, daß Kinder, vor allem aber Jungen und Organschwächlinge in Phasen verstärkten Längenwachstums, wegen ihrer relativ großen Körperoberfläche, wegen des fehlenden oder dünnen Unterhautfettgewebes und wegen geringerer Herz-Kreislaufleistungen leicht frieren, lustlos werden und Antipathien entwickeln können.

Bei allen Spielen, Aufgaben und Übungen darf kein Zwang angewendet werden. Anerkennen und Loben eines kleinen Fortschritts oder einer großen Leistung stärken Selbstvertrauen und Leistungsbewußtsein und erreichen mehr als autoritäre Maßnahmen oder Tadel.

Außer vorgesehenen und geforderten Aufgaben und Übungen, die notwendig und wichtig sind, soll jedem Schwimmschüler ausreichend Zeit zum Erproben, Selberfinden, Lernen und Üben gelassen werden. Im Unterricht sollen die Aufgaben und Übungen gewechselt, variiert, wiederholt, verbessert, gesteigert werden.

Der **Schwimmlehrer** steht normalerweise am Beckenrand, um bessere Möglichkeiten zum Unterrichten zu haben: Aufsicht, Übersicht, Korrektur, Rettungsbereitschaft. Er wird jedoch gelegentlich mit ins Wasser gehen, zum Beispiel bei gewissen Übungen der Wassergewöhnung, beim Zeigen bestimmter Bewegungsabläufe oder beim Korrigieren von Einzelbewegungen.

Das Beispiel eines guten Bewegungsvorbildes, das besser ist als umständliches Erklären und Anweisen, kann und soll aber auch von Schülern gegeben werden. Hier erhalten die Partnerübungen oder die Übungen in Dreier- und Vierergruppen ihre besondere Bedeutung und Wirksamkeit: Bewegungsvorbild und -antrieb, Nachvollziehen und Vergleichen, Wechsel zwischen Beobachten, Gestalten, Üben und Leisten, gegenseitiges Sichern, Helfen und Korrigieren.

Abschließend wird betont: Das Korrigieren soll sinnvoll und ständig erfolgen, damit sich keine falsche Bewegung einschleifen kann; die Leistung darf allmählich gesteigert werden; Überfordern und verfrühtes Spezialisieren sind unbedingt zu vermeiden.

C. **Inhalt und methodischer Aufbau** des Vorkurses und der einzelnen Schwimmlehrgänge sowie die Auswahl der Übungen entsprechen den modernen Erkenntnissen und Lehrmethoden und lassen es ratsam erscheinen, nach ihnen zu verfahren. Das besagt jedoch nicht, daß nicht auch mit anderen Übungen und Methoden das Schwimmen gelehrt und erlernt werden könnte. Systematischer Aufbau und methodische Verbindlichkeit bedeuten keinen absoluten Zwang, sondern lassen dem Lehrenden und dem Übenden ausreichende Freizügigkeit zum Auswählen und Differenzieren, allerdings unter der Voraussetzung, daß der Schwimmunterricht sachlogisch und methodisch begründet ist. —

Spiel, Bewegungsaufgabe und Übung sind didaktische Stufen, die jeweils ihre besondere Bedeutung haben.

Das **freie Spiel** löst Spannungen, entwickelt Bewegungsphantasie und zielt auf Aktivität und Spontaneität des Übenden. Im freien Spiel werden keine Bewegungs- und Übungsvorschriften gegeben. Wahl des Tuns und Form der Ausführung sind ungebunden: Das Was und das Wie des Tuns sind frei.

Bei der **Bewegungsaufgabe** werden Aktivität und Spontaneität des Übenden ebenfalls in hohem Maße angesprochen. Die Frage „Wer kann . . .?" verleiht der Bewegungsaufgabe Spielcharakter und erweitert den Raum der Bewegungsmöglichkeiten und -erfahrungen. Das Übungsgut wird als Aufgabe gegeben, die Ausführung aber wird freigestellt: Das Was des Tuns wird bestimmt, das Wie ist frei.

Die **Übung** erzielt durch ihr konsequentes Tun und Wiederholen eine Leistungssteigerung und den Erwerb von Fertigkeiten. Sie verlangt eine vorgegebene Bewegungsvorschrift und -ausführung: Das Was und das Wie des Tuns sind vorgeschrieben und bestimmt. —

Auf das **Anbieten von Stundenbeispielen** wird verzichtet, da diese für den Schwimmunterricht wenig realistisch und brauchbar sind. Lehrgangsplanung und Stundenaufbau hängen meist von unterschiedlichen organisatorischen und didaktischen Voraussetzungen ab.

Die **Verwendung von Schwimmkissen** und -brettern wird bei den einzelnen Lehrgängen beschrieben.

Trockenübungen der Schwimmschüler an Land, wie sie in früheren Schwimmethoden üblich waren und noch heute in manchen Lehrbüchern angeboten werden, sind für den Ausbildungsgang unnötig und werden abgelehnt. Im Wasser herrschen andere Verhältnisse als an Land, und die Bewegungsabläufe im Wasser, vor allem in der Koordination, können durch Trockenübungen an Land nicht vorgeübt und innerviert werden. Schwimmen lernt man im Wasser. Dagegen sind Anweisungen des Schwimmlehrers durch Zeigen oder Andeuten von Bewegungsabläufen vom Beckenrand aus, beispielsweise beim Korrigieren oder beim Wechseln von Übungen, notwendige und wertvolle Unterrichtshilfen.

ZUR ORGANISATION

Der Schwimmunterricht soll freudebetont, aufgelockert und differenziert, muß aber immer diszipliniert und in optimaler Ordnung durchgeführt werden. Große Abteilungen sind in mehrere Gruppen aufzuteilen, von denen jeweils nur eine im Wasser unterrichtet werden kann. Am günstigsten ist es, wenn das Lehrschwimmbecken, das Nichtschwimmer-, Schwimmer- oder Springerbekken für eine Schwimmabteilung ungestört zur Verfügung steht und nicht mit anderen Gruppen oder privaten Badegästen geteilt werden muß. Damit wird deutlich, daß hohe Anforderungen an Schwimmlehrer und Badeaufsicht gestellt werden. Für den Schwimmunterricht sollte daher folgendes beachtet werden:

1. Die allgemeinen Vorsichtsmaßnahmen und die spezielle Schwimmbadordnung sind zu berücksichtigen.
2. Für das Schulschwimmen sind die entsprechenden Richtlinien und Erlasse zu befolgen. In ihnen werden u. a. Lehrbefähigung, Durchführung und Aufsicht des Unterrichts, Schwimmstätte sowie Schwimmprüfungen genau und verbindlich geregelt.
3. Die Schwimmschüler sind gegebenenfalls vorher auf Herz-, Kreislauf- und Ohrenschäden vom Amts- oder Schularzt untersuchen zu lassen.
4. Die allgemeinen Sicherheitsmaßnahmen und die speziellen Unterrichtsanweisungen sind allen Teilnehmern wiederholt mitzuteilen.
5. Schwimmlehrer und -schüler müssen die allgemeinen Bade- und Schwimmregeln kennen und beachten, besonders für die örtliche Schwimmstätte sowie für Springen und Tauchen. Siehe S. 64 und 74!
6. Die erforderliche Aufsicht muß immer gewährleistet sein, auch für die Gruppen, die sich nicht im Wasser befinden. Der Schwimmlehrer oder eine andere Aufsichtsperson muß rettungsbereit sein.
7. Eine Schwimmgruppe, die gleichzeitig im Wasser unterrichtet wird, soll 15 Schüler nicht übersteigen. Andere Gruppen müssen an Land warten.
8. Bei Freischwimmerprüfungen sollen sich gleichzeitig nur wenige, höchstens bis zu 5 Kandidaten im Tiefwasser befinden. Dabei sind die einschlägigen und gültigen Prüfungsbestimmungen zu beachten.
9. In schwimmtiefes Wasser dürfen grundsätzlich nur Freischwimmer mit Zeugnis. Bei Mehrzweckbecken mit Nichtschwimmerteil muß die Abgrenzung vor dem Tiefwasser unbedingt respektiert werden.
10. Die Bade- oder Schwimmstätte muß betriebssicher und frei von Unfallgefahren sein.
11. Wasser- und Lufttemperaturen sollen hoch genug liegen. Bei Wassertemperaturen unter 18° C soll kein Schwimmunterricht durchgeführt werden.
12. Das Baden und Schwimmen in Freibädern, vor allem aber im Fluß oder im Meer, verlangt besondere Vorsichtsmaßnahmen und Verhaltensweisen.

ÜBERSICHT über den didaktischen Aufbau der Schwimmlehrgänge		
VORKURSUS		
Wassergewöhnen Auftreiben Tauchen Gleiten		
LEHRGANG BRUSTSCHWIMMEN	LEHRGANG KRAULSCHWIMMEN	LEHRGANG RÜCKENKRAULSCHWIMMEN
Beinbewegung Gleiten und Beinbewegung Armbewegung und Atmung Gesamtbewegung	Atmung Armbewegung und Atmung Beinbewegung Gesamtbewegung	Armbewegung und Atmung Beinbewegung Gesamtbewegung

VORKURSUS

ALLGEMEINES

Im Vorkursus werden die allgemeinen Voraussetzungen und Grundlagen zum Erlernen des Schwimmens gegeben. Der Schwimmschüler soll zunächst die Einwirkungen des Wassers in psychischer und physischer Hinsicht erfahren, sich an das Wasser gewöhnen sowie eventuell seine Abneigung oder Angst überwinden.

Einwirkungen des Wassers sind im einzelnen:

1. Das **Wasser als neues Element** löst allgemein angenehme, aber auch unangenehme Empfindungen und Gefühle sowie entsprechende Reaktionen aus.
2. Der **Kältereiz** des Wassers bewirkt einen Wärmeentzug und belastet Kreislauf und Atmung, hat jedoch auch eine stärkende Wirkung für den Organismus.
3. Der **Widerstand** des Wassers erfordert veränderte Bewegungskoordinationen und einen anderen Kräfteeinsatz als an Land. Die Stabilität ist aufgehoben.
4. Der **Druck** des Wassers erschwert die Atmung.
5. **Auftrieb und Abtrieb** im Wasser vermitteln neben ähnlichen Erfahrungen wie beim Widerstand und Druck auch solche über richtiges Atmen und damit über die Tragfähigkeit des Wassers.
6. Das **Eindringen von Wasser** in Mund und Nase kann die Atmung stören oder Unsicherheit auslösen.

Jeder Schwimmschüler soll **im Vorkursus die allgemeine Wasservertrautheit erlangen,** ohne zunächst die Bewegungen einer bestimmten Schwimmart erlernen zu müssen. Wasservertrautheit wird erzielt durch:

Wassergewöhnen,

Auftreiben,

Tauchen,

Gleiten.

Diese vier Übungsgebiete des Vorkurses sind Voraussetzungen und Bestandteile des modernen Anfängerschwimmunterrichts und bilden die Grundlagen zum Erlernen des Schwimmens. Sie greifen ineinander, ergänzen und bedingen sich.

Die systematische Ordnung und Stoffolge bedeutet keine starre methodische Bindung. Jedoch wird der Schwimmlehrer aus didaktischen Gründen bestimmte Übungsfolgen und -reihen auswählen. Zudem hat er sich nach Größe und Leistungsstand seiner Schwimmgruppe sowie nach den räumlichen und zeitlichen Gegebenheiten zu richten.

Eine gewisse Wasser- und Schwimmsicherheit wird später mit dem Erlernen einer Schwimmart und dem Freischwimmen gewonnen. **Die echte Wassersicherheit und Schwimmsicherheit** aber wird erst erlangt, wenn Leistungen des Rettungsschwimmens beherrscht werden.

WASSERGEWÖHNEN

ZIEL

Spiele, Bewegungsaufgaben und Übungen zum Wassergewöhnen sind ein erster wichtiger Abschnitt für das Schwimmenlernen.

Vom Schwimmlehrer erfordern sie pädagogisches Geschick. Er soll freudige Erlebnisse schaffen und darf keinen Zwang anwenden.

Der Schwimmschüler soll erste Erfahrungen mit dem fremden Element sammeln, sich an das Wasser gewöhnen, sich mit ihm anfreunden, es sich selbst erobern.

Bei der Auswahl des Spielgutes muß unbedingt bedacht werden, daß nur wenige Spiele, die an Land gut gespielt werden können, auch für das Spielen im Wasser geeignet sind.

Bewegungsarme und elementfeindliche Spiele sind zu vermeiden. Dafür sollen sinnvolle Spielmöglichkeiten und -geräte geboten und echte Bewegungsaufgaben gestellt werden.

Alle Spiele, Bewegungsaufgaben und Übungen werden im Plansch-, Lehrschwimm- und Nichtschwimmerbecken, in denen das Wasser für den Schwimmschüler knöchelbis knie- und hüfttief ist, durchgeführt.

Die Wassertemperaturen sollen gerade bei Anfängern angenehm hoch liegen: 24 bis 25° C, die Lufttemperaturen 3 bis 4° C höher.

ÜBUNGSBEISPIELE

1 **Freies Spielen** am und im Wasser mit Schwimmkissen,
K -brett und -korken, mit Spielgerät wie Ball, Eimer und Badetier, mit Fahrrad- und Autoschlauch, Luft- oder Badematratze *), Tauchring und -teller. — Später Rutschbahn. Bei Sand: Burgen- und Kanalbau.

2 **Darstellungs- und Bewegungsspiele** wie „Waschen und
K Duschen“, „Wäsche waschen“, „Fische fangen“, „Ringel-Rangel-Rose“, „Pferd und Kutscher“, „Herr und Hund“, „Katze und Maus“, „Schiffchen schwimmen“, „Alle meine Enten . . .“.
Sich auch wie Störche, Enten, Frösche, Elefanten, Katzen oder wie Paddel- und Motorboote bewegen.

3 **Bewegungsaufgaben** mit Spielgerät:
K Ball: werfen und fangen, schieben, untertauchen. Schwimmkissen und -brett: ziehen und schieben.

4 **Bewegungsaufgaben und Übungen,** jeder für sich,
K im Stehen wie: aufs Wasser schlagen, im Wasser rühren, mit Wasser spritzen;
im Sitzen oder Stützen wie: „Radfahren“ und „Wasserkochen“ (mit Füßen oder Händen).

---

*) Obwohl diese Spielgeräte z. T. den Auftrieb verstärken, gelten sie hier nicht als Auftriebshilfsmittel wie das Schwimmkissen früherer Methoden. — Hingewiesen wird auf die Gefahren bei der Benutzung von Luft- oder Badematratzen — besonders durch Nichtschwimmer — auf Flüssen, Seen und am offenen Meer.

Übungen 4 und 5

5 **Stützeln** im Liegestütz vor- und rückwärts in locker ge-
K streckter Brust- und Rückenlage.

6 **Waten, gehen, laufen** am Beckenrand entlang, durchs
K freie Wasser: vorwärts und rückwärts, mit und ohne Anfassen von Partner und Gruppe, Hände können durch Ruder- und Paddelbewegungen mithelfen.

7 **Erste Atemübungen:** aufs Wasser pusten, Atem unter
K Wasser anhalten oder ausatmen. Siehe Seite 24!

8 **Duschen:** warm und kalt. — Wechselduschen.

9 **Besondere Vorsicht** ist bei Staffeln, Schlangenlaufen, Zieh- und Schiebekämpfen, Tauziehen und vor allem bei Spritzschlachten und Reiterkämpfen geboten. Diese Übungen erreichen häufig **nicht** das gewünschte Übungsziel. Sie sind bei ängstlichen Schwimmschülern zu vermeiden und bei jüngeren mutigen nur bedingt zu verwenden. Für Reiterkämpfe ist zudem mindestens brusttiefes Wasser erforderlich.

10 **Einfache Fußsprünge vom Beckenrand** sind nur beschränkt gestattet. Es ist auf rutschfreien Boden, auf gutes Abfedern in den Sprung- und Kniegelenken sowie auf ausreichende Wassertiefe zu achten.
Wasser mindestens brusttief. —
Kopfsprünge und andere gefährliche Sprünge sind grundsätzlich verboten! Siehe SPRINGEN S. 64 f.!

MÖGLICHE FEHLER

Der Schwimmschüler wird überfordert oder gezwungen.
Er ist ängstlich und führt Spiele und Übungen unkoordiniert, lustlos oder überhaupt nicht mehr aus.
Ihm werden keine Spiele angeboten, keine Bewegungsaufgaben gestellt.
Er wird von anderen gestört oder gespritzt.
Er steht zu lange herum und friert.
Wasser- und Lufttemperaturen sind zu gering. —
Wasser in den Augen: nicht reiben (Entzündungsgefahr), sondern leicht darüber streichen.
Wasser in den Ohren: schütteln, auf einem Bein hüpfen, auch dabei Nase und Mund zuhalten und den Atem leicht pressen.

AUFTREIBEN

ZIEL

Auftreiben und Schweben im Wasser vermitteln das statische Schwimmerlebnis. Der Schwimmschüler soll bewußt den Auftrieb (die Tragfähigkeit) des Wassers erfahren: Das Wasser macht leicht.

Alle Körperteile, die im Wasser sind, erzeugen Auftrieb. Alle Körperteile, die sich über Wasser befinden, verstärken den Abtrieb.

Richtiges Atmen fördert den Auftrieb und ist Voraussetzung für richtiges Schwimmen. Mangelhaftes und unkoordiniertes Atmen begünstigt den Abtrieb.

Überzeugende Beispiele sind die **Hockschwebe** und die **Streckschwebe** sowie folgende **Demonstration:** Man kann einen gleichschweren oder auch schwereren Partner, der gestreckt im Wasser liegt, ohne große Anstrengung auf einer Hand tragen, was an Land unmöglich ist. Die **Strecksinke** kann als negatives Beispiel dienen.

ÜBUNGSBEISPIELE

11 **Schwebestütz in Rückenlage** auf der Treppe oder in
K stütztiefem Wasser: Hände unterstützen im Schwerpunkt, Schultern sind vom Wasser bedeckt:
Beine auftreiben lassen und sich strecken,
Kopf leicht angehoben über Wasser lassen. —
Für einen Augenblick die Hände lösen. —

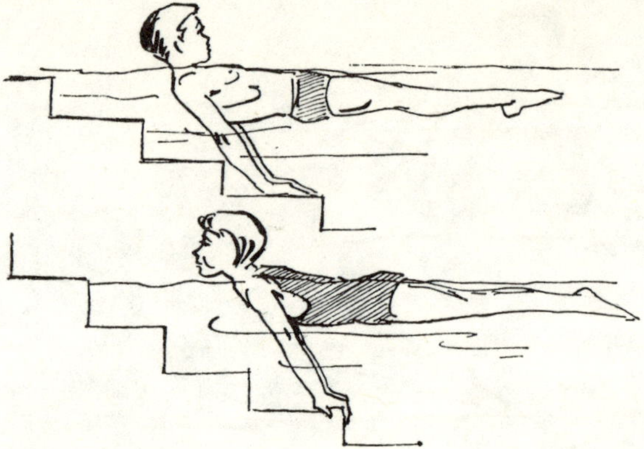

Übungen 11 und 13

Auch mit leichtem Pendeln der Beine (Kraulen).

12 **Gegenbeispiel,** um Auftrieb und Abtrieb besser zu erkennen: In Rückenlage in der Hüfte abbeugen und die Beine aus dem Wasser heben.
Das verstärkt den Abtrieb und ist zudem schwer.

13 **Schwebestütz in Brustlage** auf der Treppe oder in
K stütztiefem Wasser: In Strecklage Kopf aus dem Wasser heben, Hände unterstützen im Schwerpunkt, sonst treiben die Beine nicht auf.

14 **Sich um die Längsachse drehen** von der Rücken- in die Brustlage und umgekehrt.

Übung 19

15 **Stützeln** in Brust- und Rückenlage (wie Übg. 5).

16 **In Zweier- und Dreiergruppen** den Partner tragen, zie-
KP hen oder schieben in Brust- und Rückenlage. Ziehen in Brustlage mit Handfassung, in Rückenlage mit Achsel- oder Kopfgriff. —

Auch mit Verwendung von Schwimmbrett oder Ball.

Wasser schenkel- bis hüfttief.

17 **Zum Kreis fassen** sich acht bis zehn Schwimmschüler
KP an den Händen: Jeder zweite darf **in Rückenlage** locker gestreckt auftreiben, **Füße zur Kreismitte oder nach außen,** Wasser hüfttief. —

Auch „Wasser kochen" (Kraul-Beinbewegung). —

Ferner: „Karussell fahren": Die helfenden Partner gehen im Kreis herum. —

Alle Übungen auch in Brustlage.

18 **Hockkreisel** (Hockkarussell) in brusttiefem Wasser:
K Tief einatmen, Beine anhocken, Kopf über Wasser lassen: Durch Paddel- oder Ruderbewegungen der Hände und Arme sich drehen oder vorwärts- bzw. rückwärtstreiben.

19 **Hockschwebe oder „Qualle",** eine wichtige Auftriebs-
K und Schwebeübung und gleichzeitig eine wertvolle Atem- und Tauchübung.

Wasser brusttief. Eine geringere Wassertiefe ist ungünstig und eventuell gefährlich.

Ausführung: Tief einatmen (Luft macht leicht!), mit den Füßen leicht vom Boden abspringen und Beine anhokken, mit den Armen Knie und Unterschenkel umfassen und Kopf zur Brust hin senken (klein machen). Zuerst erfolgt ein Absinken von der Wucht des Absprungs, eventuell bis auf den Beckenboden. Dann beginnt ein langsames Auftreiben, bis der Rücken durch den Wasserspiegel stößt. In dieser Kauerhaltung Atem anhalten, Kopf im Wasser lassen und so lange unter der Wasseroberfläche schweben, wie es die Atmung zuläßt. — Gerade das langsame Auftreiben und das Schweben im Wasser sind wichtige Erfahrungen und vermitteln wertvolle Erkenntnisse.

20 **Hockschwebe mit Partner:** Der eine übt, der andere
KP beobachtet und korrigiert. —
Auch im Kreis abwechselnd oder gleichzeitig mit mehreren Partnern. Wer kann **es** am längsten?

21 **Streckschwebe,** eine erweiterte Form der Hockschwebe:
K Zuerst die Hockschwebe ausführen, bis der Rücken durch den Wasserspiegel gestoßen ist. Dann erst sich langsam und vorsichtig bis in die Schwimmlage (Strecklage) strecken. Kopf zwischen den gestreckten Armen im Wasser lassen, Atem anhalten: Der Körper schwimmt! — Bei absinkenden Beinen leichte Kraulbeinbewegung ausführen. —
Hockschwebe und Streckschwebe im Wechsel.

22 **Grätschschwebe** in Brust- und Rückenlage: Grätschstellung, Arme schräg zur Seite hochführen, tief einatmen und sich aufs Wasser fallen lassen.
Atem anhalten, Kopf im Wasser lassen. Schweben!

23 **Strecksinke oder „Flunder“,** das Gegenbeispiel zu diesen Auftriebs- und Schwebeübungen. Sie zeigt als negatives Beispiel die Wichtigkeit des richtigen Atmens für den Auftrieb (für Anfänger nicht einfach):
Sich bei ruhigem Ausatmen locker gestreckt ins Wasser fallen lassen (in Brust- oder Rückenlage) und unter Wasser weiter ausatmen: Der Körper sinkt auf den Boden und bleibt liegen.

24 **Wassertreten** in senkrechter Lage, für Freischwimmer
K später in schwimmtiefem Wasser: Arme liegen waage-

Übung 21

recht und locker gebeugt im Wasser, Hände flach, Beine werden abwechselnd locker gebeugt (Fußspitzen dabei nach unten) und kraftvoll gestreckt (Fußspitzen dabei angezogen).

MÖGLICHE FEHLER

Der Schwimmschüler atmet ungenügend ein oder aus.
Er kann den Atem nicht anhalten.
Er bringt den Kopf nicht ins bzw. unter Wasser.
Er bringt nicht alle Körperteile ins Wasser.
Er nimmt die geforderte Strecklage nicht ein oder behält sie nicht bei.

TAUCHEN

ZIEL

Sicheres Tauchenkönnen ist eine wichtige Grundlage für das Schwimmen. Atem- und Tauchübungen sind daher für den Vorkursus unentbehrlich.

Der Schwimmschüler soll seine eventuelle Angst vor Wasserspritzern und kurzzeitigem Untertauchen des Gesichtes verlieren,
er soll rechtzeitig und richtig atmen und sich dabei bewegen lernen, unter Wasser wie über Wasser,
er soll seinen Atem eine Zeitlang unter Wasser anhalten und ins Wasser ausatmen können,
er soll seine Augen unter Wasser öffnen lernen,
er soll ferner erkennen:
Auch beim Tauchen steuert der Kopf die Bewegung mit. Beim Tieftauchen daher den Kopf zur Brust hin senken und kein Hohlkreuz machen.

ALLGEMEINES

Gerade beim Tauchen darf kein Schwimmschüler gezwungen werden. Das Gefühl der Sicherheit muß bei ihm immer vorhanden sein.

Besondere Vorsicht ist bei Ohrenleiden (ggf. gefettete Wattepfropfen ins Ohr) sowie bei Herz- und Kreislaufschwächen geboten (Arzt!). Siehe Vorsichtsmaßnahmen beim TAUCHEN S. 74!

Die Tauchübungen zunächst in kleinen Gruppen und mit Partner, später auch allein ausführen lassen. Zuerst die Übungen in hüfttiefem Wasser beginnen, später in tieferem Wasser, bei Freischwimmern auch in schwimm- oder sprungtiefem Wasser durchführen.

Tieftauchen über die eigene Körperlänge hinaus und Streckentauchen gehören nicht in den Vorkursus und werden erst später gelehrt und geübt.

ÜBUNGSBEISPIELE

25 **Ausatmen über Wasser:** Im Sitzen, Knien oder Stehen aufs Wasser pusten.

26 **Atemanhalten unter Wasser:** Einatmen, Gesicht, später
K Kopf untertauchen und Atem anhalten. Ausatmen über Wasser.

27 **Ausatmen unter Wasser:** Einatmen, Gesicht bzw. Kopf
K untertauchen und dann ins Wasser bzw. unter Wasser ausatmen.

28 **Tauchring,** Tauchteller, Sand aus hüft- bis schultertie-
K fem Wasser holen,

Wasser jedenfalls so tief, daß der Übende seinen Kopf unter Wasser nehmen muß.

Dadurch führt die Bewegungsaufgabe zwangsläufig zum gewünschten Erfolg. —

Für **ängstliche Schwimmschüler** mit einer Wassertiefe anfangen, die das Heraufholen des Gegenstandes ohne Untertauchen des Kopfes gestattet.

Dann die Wassertiefe allmählich steigern. —

Auch mit einem oder mehreren Partnern üben.

29 **Ball unter Wasser** auf den Boden **drücken,** loslassen
K und über Wasser wiedergreifen.

30 **Wechseltauchen mit Partner,** großes Sicherheitsgefühl:
KP Zwei Partner mit Handfassung, der eine taucht (Hockbeuge), der andere hält und sichert.

31 **Wechseltauchen auch in Kreisform** mit drei oder mehr
KP Partnern ausführen.

Übungen 28 und 30

32 **Partner tauchen alle gleichzeitig** mit und ohne Hand-
KP fassung in Kreisform. — Wer taucht am längsten? Wer kann dabei unter Wasser ausatmen?

33 **Hinein- und Heraustauchen in Dreiergruppen:**
KP Zwei Partner gegenüber mit Handfassung, Hände über, auf oder unter der Wasseroberfläche. Der dritte Partner muß in diese Handfassung hineintauchen und aus ihr heraustauchen.

34 In den schwimmenden Fahrrad- oder Autoschlauch hineintauchen, aus ihm heraustauchen.

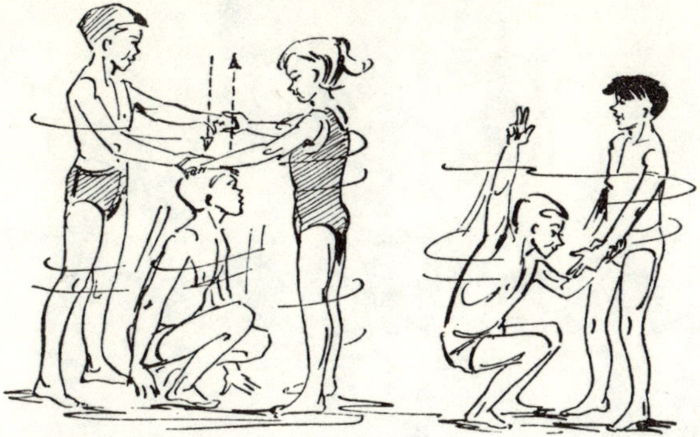

Übungen 33 und 36

35 Unter der Hand des Partners, unter dem Schwimmkissen, unter der Leine durchtauchen.

36 **Augenöffnen unter Wasser mit Partner:**
KP Das Augenöffnen unter Wasser ist zunächst ungewohnt und unangenehm und kann ein Brennen verursachen, vor allem bei gechlortem Wasser.
Augen nicht reiben, höchstens leicht abwischen!
Der Übende faßt den Partner am Handgelenk und taucht, etwa wie beim Wechseltauchen. Der Partner zeigt mit den Fingern unter Wasser dicht vor den Augen des Tauchenden eine Zahl von 0 bis 5 (oder mit beiden Händen bis 10). Der Tauchende soll die gezeigte Zahl mit den Augen erkennen und sie dem Partner nennen (über Wasser) oder anzeigen (unter Wasser). —
Auch in Dreiergruppen möglich.

37 **Augenöffnen unter Wasser durch Heraufholen von**
KP **Tauchgegenständen:** Aus einer Auswahl von nach Farbe oder Form unterschiedlichen Tauchgegenständen einen bestimmten oder mehrere heraussuchen:
Hol' den roten Ring! — Hol' einen Ring und einen Teller! — Wer holt die meisten?

38 **Hechttauchen und Delphintauchen** siehe S. 30-32.

Schwierigere Tauchübungen sind:

39 **Zieltauchen:** Durch die gegrätschten Beine eines Part-
KP ners tauchen, mit und ohne Beinbewegung, mit und ohne Partnerhilfe.
Siehe auch Hecht- und Delphintauchen S. 30-32.

40 **Tunneltauchen:** Dreier- oder Vierergruppen in Grätsch-
KP stellung **hintereinander:** Durch die gegrätschten Beine, den „Tunnel", tauchen, mit und ohne Beinbewegung, mit und ohne Partnerhilfe.
Siehe Hechttauchen S. 30.

41 **Slalomtauchen:** Dreier- oder Vierergruppen in Grätsch-
KP stellung **nebeneinander oder in Kreisform:** Durch die „Slalomstrecke" der gegrätschten Beine tauchen, auch mit Beinbewegung, mit und ohne Partnerhilfe. Siehe Hechttauchen S. 30.

Übung 40

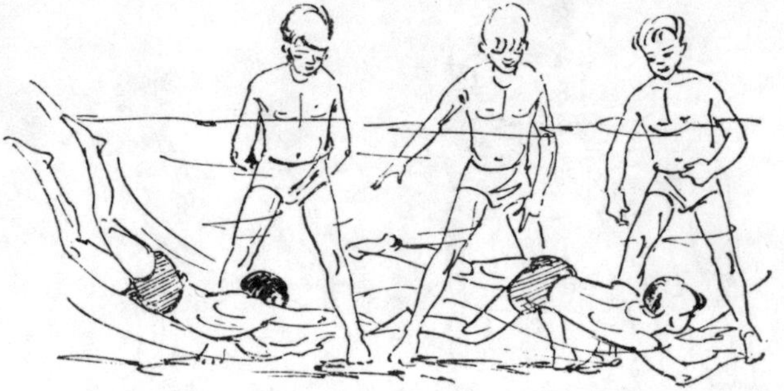

Übung 41

42 **Handstand** mit und ohne Partnerhilfe,
Wasser hüft- bis brusttief.

43 **Rolle vorwärts und Rolle rückwärts** aus dem Stand in
P Dreiergruppen, mit einem Partner und allein,
Wasser brusttief.

44 **Einfache Fußsprünge vom Beckenrand** sind nur bedingt und mit besonderer Vorsicht auszuführen.
Wasser brust- bis schultertief. Abfedern!
Aus dem Stand weit, angehockt, als Paketsprung, mit Drehung, mit anschließendem Untertauchen springen.
Siehe SPRINGEN S. 64—65!

MÖGLICHE FEHLER

Der Schwimmschüler hat organische Schwächen oder Fehler (Ohren, Herz, Kreislauf! — Vorsicht!).
Er wird überfordert.
Er hat Hemmungen oder ist ängstlich.
Er übt unwillig und zeigt keine Ausdauer.
Er atmet oberflächlich, falsch oder gar nicht.
Er atmet zu tief ein (zu starker Auftrieb) oder kann den Atem unter Wasser nicht anhalten.
Seine Bewegungen sind verkrampft oder unkoordiniert.
Er öffnet die Augen nicht.

GLEITEN

ZIEL

Die Bewegungsaufgaben und Übungen des Gleitens vermitteln das dynamische Schwimmerlebnis.

Der Schwimmschüler soll erfahren und erkennen, daß er lediglich durch geschicktes und kräftiges Abstoßen, mit richtiger Atmung und bei entsprechender Gleitlage auf dem Wasser gleiten und unter Wasser tauchen kann, ohne eigentliche Schwimmbewegungen auszuführen.

Die Gleitübungen auf und unter Wasser sollen sicher beherrscht werden. Dann fördern sie die Wasservertrautheit in hohem Maße. Sie sind ein wichtiger Abschluß des Vorkurses und leiten unmittelbar zum Erlernen des Schwimmens über.

Beim Gleiten wird zwischen vier verwandten Gruppen unterschieden:

Hechtschießen (Gleitschießen oder Stoßgleiten)
Abstoßen von der senkrechten Beckenwand,
Gleiten an der Wasseroberfläche.
Wasser hüft- bis schultertief.

Hechttauchen (Gleittauchen)
Abstoßen von der senkrechten Beckenwand,
Tauchen und Gleiten unter der Wasseroberfläche.
Wasser brust- bis schultertief.

Delphinschießen
Abspringen vom waagerechten Beckenboden,
Gleiten an der Wasseroberfläche.
Wasser hüft- bis brusttief.

Delphintauchen
Abspringen vom waagerechten Beckenboden,
Tauchen und Gleiten unter der Wasseroberfläche.
Wasser brusttief.

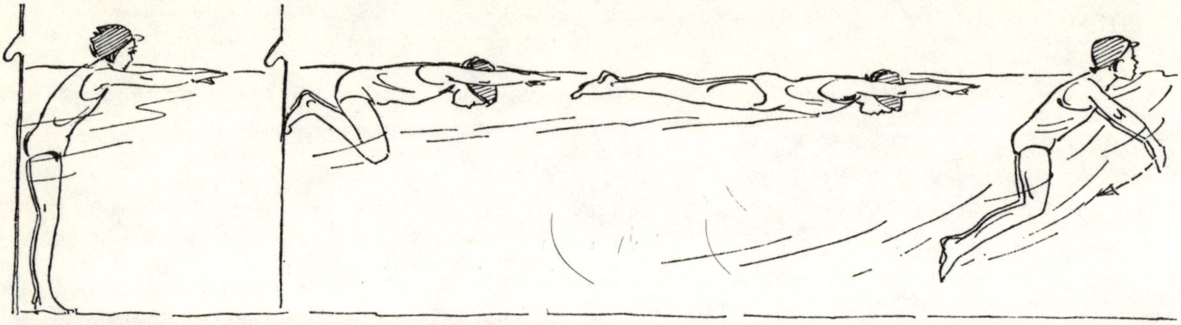

Übung 45

HECHTSCHIESSEN

45 AUSFÜHRUNG

K Das **Hechtschießen** ist eine ganzheitliche Bewegung, jedoch mit vier deutlich zu unterscheidenden Phasen.

Ausgangsstellung: Mit dem Rücken an der Beckenwand stehen, so weit beugen, daß die Schultern vom Wasser bedeckt sind, dabei die Arme gestreckt vornehmen und flach aufs Wasser legen, Daumen verhaken.

Bewegungseinleitung: In schneller Folge: Einatmen, leicht vom Boden abspringen (wie bei der Hockschwebe), beide Füße anhocken, sie leicht geöffnet an die Beckenwand möglichst nahe der Wasseroberfläche bringen und sich von der senkrechten Beckenwand mit beiden Füßen zu einem waagerechten Gleiten abstoßen. Dabei den Kopf (die Ohren) zwischen die Oberarme nehmen und den ganzen Körper strecken. Die Augen öffnen. —

Anmerkung: Beim Abstoßen möglichst den Körperschwerpunkt in der horizontalen Lage treffen. Den Kraftimpuls dabei nicht explosivartig entfalten, sondern bis zum endgültigen Strecken dynamisch steigern. Weich ins Wasser hineingleiten.

Gleitphase: In Brustlage locker gestreckt an der Wasseroberfläche entlanggleiten. Das Gesicht (den Kopf) im Wasser lassen, den Atem anhalten.

Bewegungsabschluß: Nach dem Ausgleiten Beine anhocken, sich mit Händen und Armen vom Wasser abdrücken, Kopf anheben, sich hinstellen und ausatmen.

Übung 52

ÜBUNGSBEISPIELE

46 **Anfänger** beginnen das Abstoßen von der Beckenwand
K häufig nur **mit einem Fuß** und weniger kräftig, wobei der andere Fuß auf dem Beckenboden steht. —
Diese Form kann zunächst die Einführung des Hechtschießens erleichtern und soll später unterbleiben.

47 Auch **Abstoßen von der Treppe** aus dem Sitzen oder Hocken. Vorsicht bei der geringen Wassertiefe!

48 **Bewegungsaufgaben:** Wer kann bis zu einem Partner,
K bis zu einem Schwimmkissen, bis zur Leine, bis zur Gegenwand gleiten?
Wer kann am weitesten gleiten?

49 **Bewegungsaufgaben mit Atmen:** Wer kann unter Was-
K ser ausatmen? Wer kann anschließend über Wasser einatmen und das Gesicht wieder ins Wasser nehmen?

50 **Den Partner ziehen,** Wiederholung von Übg. 16, in
KP Brust- und Rückenlage.

51 Später alle Übungen **mit Beinbewegung** sowie mit Schwimmbrett oder -korken ausführen.

52 **In Rückenlage abstoßen und gleiten:**
K Von der **Treppe:** aus der Hockstellung. —
Von der **Beckenwand:** Mit beiden Händen auf die Überlaufrinne fassen, beide Füße leicht geöffnet an die Hände bringen, sich mit den Füßen abstoßen, den Kraftimpuls dabei steigern, sich strecken. Kopf anheben, Arme an die Oberschenkel legen oder über den Kopf ins Wasser nehmen, gleiten.

53 **In Rückenlage** gleiten und mit den Händen **paddeln**
K (schlagartiges Kreiseln der Hände). Siehe Übg. 144! —
Zusätzlich auch mit Beinbewegung.

54 **Drehgleiten:** Sich beim Gleiten um die Längsachse drehen: von der Brust- in die Rückenlage und umgekehrt (Schraube).

55 Gleiten mit angehobenem Kopf.

56 Alle Übungen im Wechsel mit Delphinschießen, Hechttauchen und Delphintauchen.

57 **Bei unruhigem Wasser gleiten:** Während eine Gruppe
K übt, erzeugt die zweite Gruppe Wellen, indem sie an einer Beckenwand die Überlaufrinne faßt, in gleichem Rhythmus die Arme beugt und streckt und dadurch mit den Körpern Wellen hervorruft.

Übungen 58 und 60

HECHTTAUCHEN

58 AUSFÜHRUNG

K **Ausgangsstellung und Bewegungseinleitung** sind wie beim Hechtschießen, jedoch mit folgenden Abweichungen: Stärker im Hüftgelenk abbeugen und durch das Abstoßen schräg nach unten ins Wasser eintauchen, Augen unbedingt zur Orientierung öffnen. Dann den Kopf höher nehmen, um Kopf und Gesicht vor eventuellem Aufstoßen auf dem Beckenboden zu schützen.

Gleitphase: In Brustlage gestreckt unter Wasser gleiten, auch dicht überm Beckenboden. Die gestreckten Hände und Arme schützen Kopf und Gesicht. Der Kopf ist leicht angehoben und steuert mit.

Bewegungsabschluß: Um an die Wasseroberfläche zu gelangen, sich mit Händen und Armen abdrücken und Kopf höher nehmen, Beine anhocken und sich hinstellen.

ÜBUNGSBEISPIELE

59 Gleiche und ähnliche Formen wie beim Hechtschießen und bei den Tauchübungen.

Hierdurch wird gleichzeitig die Schulung für das Strekken- und Tieftauchen fortgesetzt.

60 **Bewegungsaufgaben:** Wer kann bis zu einem Partner,

K bis zu einem Tauchgegenstand, bis zur Gegenseite tauchen und gleiten? —

61 **Zieltauchen und Tunneltauchen** siehe Übg. 39 und 40!

62 Alle Übungen auch **mit Beinbewegung,** am einfachsten

K mit leichter Kraulbeinbewegung.

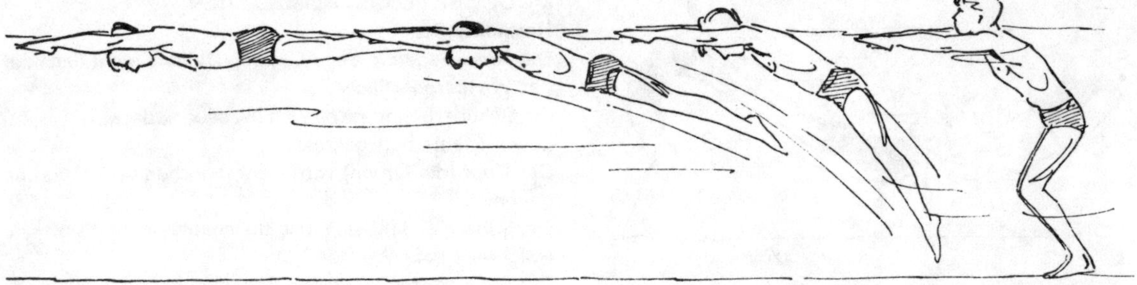

Übung 63

DELPHINSCHIESSEN

63 AUSFÜHRUNG

K **Ausgangsstellung:** Aus dem Streckstand mit leicht geöffneten oder gespreizten Füßen der Wassertiefe entsprechend Sprung-, Knie- und Hüftgelenke beugen. Rumpf und Kopf vorbeugen, Arme gestreckt vornehmen. **Bewegungseinleitung:** In schneller Folge: Einatmen, kräftig vom Beckenboden nach schräg vorwärts abspringen, dabei den Kopf zwischen die Oberarme nehmen und sich aus den gebeugten Gelenken heraus strecken, um aus der vertikalen Stellung in die horizontale Gleitlage zu gelangen.

Gleitphase und Bewegungsabschluß sind wie beim Hechtschießen.

ÜBUNGSBEISPIELE

64 Gleiche und ähnliche Formen wie beim Hechtschießen und bei den Tauchübungen.

65 Von der Beckenwand Hechtschießen, vom Beckenboden K zur Beckenwand zurück Delphinschießen ausführen.

66 An Hecht- oder Delphinschießen mehrmals Delphin- K schießen aneinanderreihen, um quer oder längs durchs Becken zu gleiten, um 10 oder 20 m zu schaffen, um bis zu einem Partner zu kommen. —

67 **Mit Armbewegung:** Vor Ende der Gleitphase beide K Arme vertikal durchziehen und drücken, Kopf anheben, Beine anhocken und sich hinstellen. —
Diese Übung mehrmals aneinanderreihen.

68 Alle Übungen auch mit **Beinbewegung** (Kraulen).

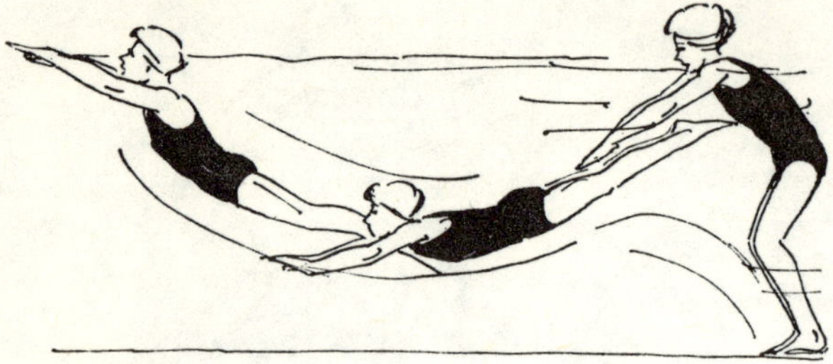

Übung 69

DELPHINTAUCHEN

69 AUSFÜHRUNG

K Das Delphintauchen ist eine Kombination von Delphinschießen und Hechttauchen, wobei der Bewegungsablauf in einem Wellenbogen aufwärts-abwärts-aufwärts erfolgt. — Wasser brusttief.

ÜBUNGSBEISPIELE

70 Wie bei den übrigen Gleitübungen:

K Delphintauchen mehrmals aneinanderreihen und mit anderen Gleitübungen abwechseln. —
Wer braucht am wenigsten Übungsfolgen, um quer oder längs durchs Becken zu gleiten? —
Ziel- und Tunneltauchen (Übg. 39 und 40).

MÖGLICHE FEHLER BEIM GLEITEN

Hechtschießen

Die Arme liegen in der Ausgangsstellung nicht flach auf der Wasseroberfläche,
die Schultern sind nicht vom Wasser bedeckt.
Es wird fehlerhaft geatmet.
Der Kopf (die Ohren) wird nicht zwischen die Oberarme genommen.
Der Übende läßt sich mit hochgehobenem Kopf und Hohlkreuz aufs Wasser fallen.
Die Füße treffen nicht den Schwerpunkt.
Das Abstoßen ist zu schwach oder erfolgt nicht mit sich steigerndem Kraftimpuls.
Es wird nur mit einem Fuß abgestoßen.
Es wird tiefgetaucht.
Der Körper wird nicht gestreckt, vor allem nicht in der Rückenlage.

Hechttauchen

Wie beim Hechtschießen und ferner:
Die Arme werden nicht vor- und der Kopf nicht hochgenommen. Die Augen werden nicht geöffnet.

Delphinschießen

Wie beim Hechtschießen und ferner:
Fehlerhaftes Abbeugen in den Gelenken und Vorbeugen, mangelhaftes Abspringen und Gleiten.

Delphintauchen

Wie bei den übrigen Gleitübungen.

BRUSTSCHWIMMEN

ALLGEMEINES

Die moderne Didaktik des Schwimmens fordert die Beherrschung des Vorkurses als allgemeine Voraussetzung und Grundlage für den Lehrgang des Brustschwimmens.

Bei ausreichender Wasservertrautheit des Schwimmschülers kann mit einem raschen Erlernen der einzelnen Bewegungsabläufe sowie der Gesamtbewegung und damit auch mit der gewünschten Dauerleistung für den Erwerb des Freischwimmerzeugnisses gerechnet werden.

Die Gesamtbewegung beim Brustschwimmen ist eine ganzheitlich-rhythmische. Aus didaktischen Gründen werden zunächst die Einzelbewegungen der Beine und Arme gelehrt, erlernt und geübt. Jede Einzelbewegung muß dabei als rhythmische Bewegungseinheit für sich gesehen werden, die sich in die Gesamtbewegung einzufügen hat.

Beginn und Schwerpunkt der Übungen für das Brustschwimmen ist die Beinbewegung, da der Hauptvortrieb beim Brustschwimmen durch sie erreicht wird. Auch wird mit vorwärtstreibender Beinbewegung eine vorteilhafte, flache Schwimmlage erzielt, während eine übertrieben starke Armbewegung den Oberkörper aus dem Wasser heben und damit eine bremsende, steile Schwimmlage erzeugen kann.

Der Lehrgang für das Brustschwimmen gliedert sich daher unter Berücksichtigung der didaktischen Grundsätze und als Fortsetzung des Vorkurses sinngemäß in folgende Übungsabschnitte:

Beinbewegung,
Gleiten und Beinbewegung,
Armbewegung und Atmung,
Gesamtbewegung (Koordination von Bein- und Armbewegung mit Atmung).

Schwimmkissen und -korken sollten nicht als Auftriebsmittel verwendet werden, um die Schwimmbewegungen zu erlernen bzw. um sich ausschließlich durch sie über Wasser zu halten.

Die Benutzung von Schwimmbrettern, Schwimmkissen und -korken für bestimmte Übungen, beim Brustschwimmen besonders zur Förderung der Beinbewegung, ist dagegen wünschenswert und vorteilhaft.

Trockenübungen früherer Methoden sind überflüssig und störend und werden abgelehnt. Dagegen braucht ein gelegentliches und kurzes Zeigen einer Teilbewegung an Land, vornehmlich der Armbewegung für das Brustschwimmen, noch keine Trockenübung zu bedeuten. Das Andeuten und Korrigieren von Bewegungen durch den Schwimmlehrer vom Beckenrand aus sind jedoch erforderliche Unterrichtshilfen.

BEINBEWEGUNG

ZIEL

Die Beinbewegung soll in einem rhythmischen Gesamtablauf erfolgen und in ihrem Einzelablauf schwungvoll und zügig sein. Sie soll eine flache Schwimmlage und einen großen Vortrieb erzeugen.

AUSFÜHRUNG

Bei der Beinbewegung wird unterschieden zwischen:
Stoßgrätsche oder Grätschschlag und
Schwunggrätsche oder Kreiselschlag.

Die **Stoßgrätsche** ist die ältere und langsamere Bewegungsausführung und wird von Schwimmschülern leichter erlernt. Die **Schwunggrätsche** ist die modernere und schnellere Bewegungsausführung und wird von Leistungsschwimmern bevorzugt.

Beide Bewegungsausführungen korrelieren dabei jeweils mit der Armbewegung und ordnen sich dem Rhythmus der Gesamtbewegung unter. Zwischen beiden Ausführungen liegen naturgemäß zahllose Varianten.

Die Beinbewegung hat deutlich zu unterscheidende Phasen. Sie ist aber immer eine rhythmische Bewegung, die ohne Unterbrechung ganzheitlich und zyklisch abläuft und bei der beide Beine und Füße sich synchron und symmetrisch bewegen.

Die Pause in der Gleitphase ist ein Teil des gesamten Bewegungsrhythmus.

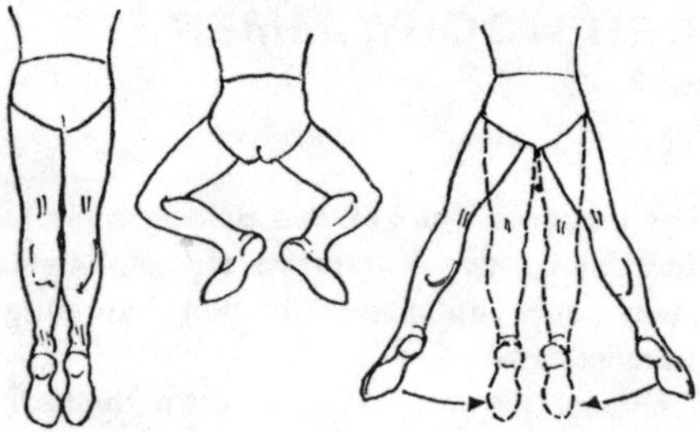

Übung 71

71 AUSFÜHRUNG DER STOSSGRÄTSCHE

K **Grätsch- und Beugephase** (hemmend):

Aus der Gleitphase heraus Knie und Oberschenkel ruhig und locker zur Seite öffnen und mäßig anziehen (grätschen und beugen), aber nicht unter den Leib. Fußsohlen leicht zueinandergekehrt, Füße gestreckt.

Stoß- und Schließphase (Vortriebsphase, aktiv):

Fußspitzen anziehen und sich kraftvoll mit Fußsohlen nach außen vom Wasser abstoßen (abdrücken), und Füße und Beine strecken und schwungvoll und kraftvoll schließen! (Rückstoß und eigentlicher Vortrieb!)

Gleitphase (Entspannungsphase, passiv):

Beine und Füße entspannen und locker gestreckt lassen! Pause! Gleiten! Vortrieb ausnutzen! (Die Dauer der Pause beim Gleiten richtet sich nach dem Schwimmer und der geforderten Schwimmleistung.)

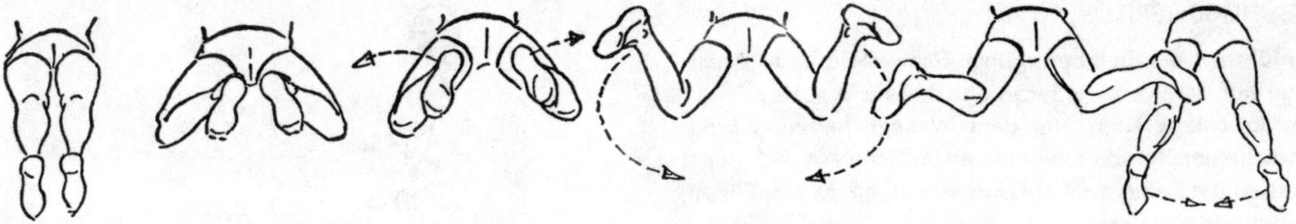

Übung 72

72 AUSFÜHRUNG DER SCHWUNGGRÄTSCHE

K Der Bewegungsablauf ist ähnlich wie bei der Stoßgrätsche.

Die Ausführung der Bewegung enthält jedoch folgende Abweichungen, für die charakteristisch ist, daß Füße und Unterschenkel kreisend schwingen und dabei aktiver und schwungvoller sind:

Grätsch- und Beugephase (hemmend): Aus der Gleitphase heraus Knie und Oberschenkel weniger öffnen und anziehen (enger grätschen und mäßiger beugen);

Schwung- und Schließphase (Vortriebsphase, aktiv): Füße und Unterschenkel weiter nach oben und außen und dann nach unten kreisend schwingen, und Füße und Beine besonders schwungvoll und kraftvoll peitschend strecken und schließen! (Rückstoß und eigentlich wirksamer Vortrieb!)

Anders ausgedrückt: In der Schwung- und Schließphase schwingen die Füße und Unterschenkel in einer trichterförmigen Kreiselbewegung durch die typische X-Stellung der Beine bei der Schwunggrätsche über die Längsachse der Oberschenkel hinaus. Dabei nähern sich die Knie; die Füße und Unterschenkel kreisen nach.

Gleitphase (passiv): Entspannen und locker gestreckt lassen! Pause! Gleiten! Vortrieb ausnutzen!

KURZBESCHREIBUNG DER BEINBEWEGUNG

Stoßgrätsche	**Schwunggrätsche**
öffnen und anziehen	öffnen und anziehen
(weiter grätschen),	(enger grätschen),
abstoßen und	kreisend schwingen und
strecken und schließen,	strecken und schließen,
entspannen und gleiten.	entspannen und gleiten.

ÜBUNGSBEISPIELE

73 **Einführung** der Beinbewegung: **Schwebestütz** in Brust-
K lage auf der Treppe oder in stütztiefem Wasser:
In Strecklage Kopf aus dem Wasser heben, Körper vorschieben, Hände unterstützen im Schwerpunkt, sonst treiben die Beine nicht auf, Finger zeigen zu den Füßen, Schultern sind vom Wasser bedeckt.
Beinbewegung locker und mit geringem Krafteinsatz ausführen, da kein Vorwärtsschwimmen möglich ist! *)

74 **Schwebestütz mit lockerer Bewegungsführung** an den
K Füßen **durch Lehrer oder Partner,** besonders wichtig bei fehlerhafter Ausführung, z. B. beim Anziehen oder Schließen der Beine oder beim Strecken und Beugen der Füße.

75 **Mit Vorwärtsstützeln** in stütztiefem Wasser.

*) Schwimmbewegungen lassen sich durch Vorwärtsschwimmen grundsätzlich bewegungsnatürlicher üben als am Ort (Treppe, Beckenboden, Überlaufrinne). Außerdem kann wegen der labilen Lage das Stützen auf Treppe oder Beckenboden und das Festhalten an der Überlaufrinne gewisse Schwierigkeiten bereiten. Übungen am Ort haben auf dieser Ausbildungsstufe jedoch ihren besonderen Wert, wenn sie nicht übermäßig betont, sondern wenn bei ihnen Grundform und Bewegungskoordination mit lockerer Bewegungsführung und mit mäßigem Krafteinsatz erlernt und geübt werden. Ferner sind hierbei Kontrolle und Korrektur durch Lehrer und Übenden gut möglich. –
Schwimmbecken mit höhenverstellbarem Boden haben sich gerade bei diesem Übungsabschnitt besonders bewährt.

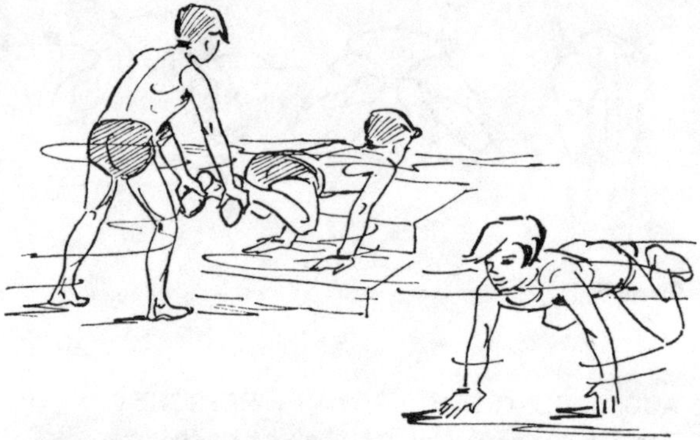

Übungen 74 und 75

76 **Ein Partner zieht** den Übenden an den Händen mäßig
P schnell durchs Wasser, Übender in Brustlage, Partner vorwärts- oder rückwärtsgehend, sich dem Wechsel von Vortrieb und Gleiten beim Übenden anpassend. –
Auch am Ort durch Partner auf Händen gehalten.

77 **Mit Festhalten an der Überlaufrinne:** Eine Hand faßt auf den Rinnenrand, die andere stützt ein Stück darunter an der Beckenwand und drückt den Körper in die horizontale Schwimmlage. Geringer Krafteinsatz, kein Vorwärtsschwimmen möglich! *)

78 **In Rückenlage auf der Treppe** (Schwebestütz): Selbst-
K kontrolle der Beinbewegung gut möglich.

Übung 76

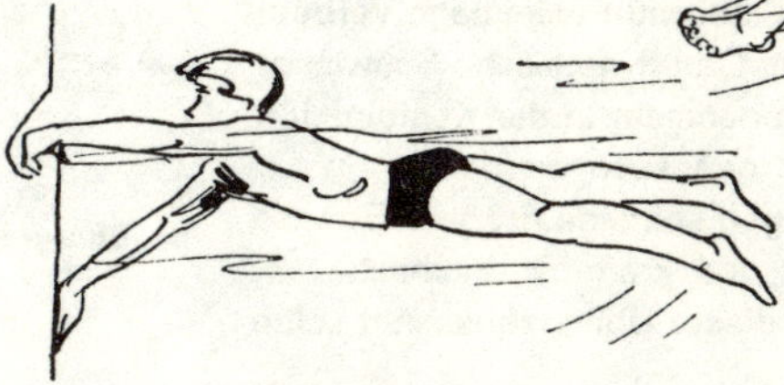

Übung 77

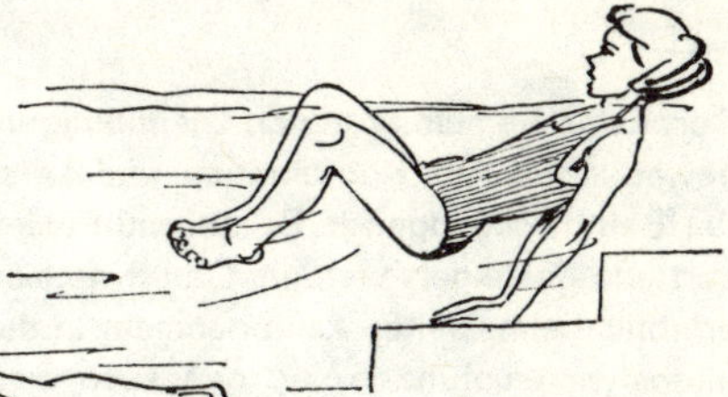

Übung 78

Flache Schwimmlage, locker gestreckt, Kopf leicht angehoben, Schultern vom Wasser bedeckt, nicht in der Hüfte abknicken, Knie dürfen nicht aus dem Wasser herauskommen.

Geringer Krafteinsatz, kein Vorwärtsschwimmen möglich! Siehe Fußnote S. 36.

79 **In Rückenlage, vom Partner** mäßig schnell **gezogen**
P durch Kopf- oder Achselgriff.

MÖGLICHE FEHLER

Die ganze Beinbewegung wird verkrampft oder hastig, abgehackt oder arrhythmisch ausgeführt.

Sie erfolgt nicht in der horizontalen Ebene. Durch Beckendrehung entsteht so eine Scherbewegung der Beine.

Die Beine werden zu weit bzw. zu eng gegrätscht.

Die Beine werden angehockt unter den Leib gezogen oder ruckhaft in eine weite Grätsche gestoßen.

Die Füße bleiben immer gestreckt und verkrampft und stechen ins Wasser, werden nicht abwechselnd gebeugt.

Die weite, trichterförmige Kreiselbewegung der Unterschenkel und Füße bei der Schwunggrätsche ist zu eng und nicht schwungvoll genug.

Das schwungvolle Schließen der Beine unterbleibt.

Die Gleitphase (Pause) ist zu kurz oder fehlt ganz.

GLEITEN UND BEINBEWEGUNG

ZIEL

Durch das Kombinieren von Gleitübungen mit der Beinbewegung sollen Koordination und Leistungsfähigkeit der Beinbewegungen in Brust- und Rückenlage verbessert und gesteigert werden. Das dynamische Schwimmerlebnis beim Gleiten kann nunmehr in der Kombination intensiver empfunden und genossen werden.
Allein durch Beinbewegungen soll eine größere Strecke in flacher Gleitlage exakt und kraftvoll durchschwommen werden. Damit erhält dieser Übungsabschnitt seine besondere Bedeutung.

Übung 80

80 AUSFÜHRUNG

K **Beginn und Bewegungseinleitung** durch Hecht- oder Delphinschießen mit anschließender Beinbewegung: In der Gleitlage Arme locker strecken, Daumen verhaken und Hände im Handgelenk leicht nach oben anbeugen. Dieser kleine Anstellwinkel zum Aufgleiten bewirkt, daß Kopf und Oberkörper hoch genug bleiben und nicht absinken. Hände und Arme stützen also im Wasser und helfen, die Gleitlage zu erhalten.
Pause nach jeder Beinbewegung einhalten, gleiten und Vortrieb beobachten und ausnutzen!
Alle Übungen im Lehrschwimm- oder Nichtschwimmerbecken, keinesfalls im Schwimmerbecken ausführen, Wasser hüft- bis schultertief:
ohne Atmung über kurze Strecken: das Gesicht bleibt im Wasser,
mit Atmung über längere Strecken: Ausatmen unter, Einatmen über Wasser, nach jeder Beinbewegung oder nach Bedarf.

ÜBUNGSBEISPIELE

81 **Gleitübungen** vom VORKURSUS wiederholen.
82 **Bewegungsaufgaben:**
K **Wer kann gleiten** und 2, 3, 5, 10 Beinbewegungen ausführen?
83 **Wer kommt am weitesten** mit 1, 2, 3, 5, 10 Beinbewe-
K gungen? —

Übung 86

Gleiten und Vortrieb am Beckenboden beobachten und ausnutzen! Beinbewegungen zählen!

84 **Wer kann** quer bzw. längs **durchs Becken schwimmen?**

85 **Wer braucht die wenigsten Beinbewegungen,** um quer
K bzw. längs durchs Becken zu schwimmen?

86 **Hände halten Schwimmbrett, -kissen oder -korken,**
K auch einen Ball, Arme sind locker gestreckt.
Besonders günstig zur Bewegungskorrektur und zur Leistungssteigerung. Intensiv nutzen!

87 **Mit Partner in 5, 10, 15 m Abstand:** Auf den Partner
KP zuschwimmen. — Im Wechsel den Partner ziehen.

88 **In Rückenlage gleiten und Beinbewegungen ausführen,**
K eine wichtige Übung für das Rettungsschwimmen:
Locker gestreckt im Wasser liegen, Kopf leicht anheben oder Kopf ins Wasser legen und Kinn anziehen, Gesicht über Wasser lassen,
nicht in der Hüfte abknicken, Arme locker am Körper liegen lassen. —
Vergleiche RÜCKENSCHWIMMEN S. 61.

89 **In Rückenlage** auch zusätzlich mit kräftigem **Handkreiseln** (Paddeln). Siehe S. 62.

90 **Hecht- und Delphintauchen** mit Beinbewegung über
K kürzere Strecken. Siehe TAUCHEN und GLEITEN!
Ziel-, Tunnel-, Slalomtauchen.

91 **Wechsel zwischen Brust- und Rückenlage** durch Drehen um die **Längsachse.** Gestreckt bleiben!

92 **Wechsel zwischen Brust- und Rückenlage** durch Drehen um die **Frontalachse** (Richtungsänderung).
Dabei Beine anhocken und Rumpf beugen, also etwa ein halbes Rollen rückwärts bzw. vorwärts ausführen.

MÖGLICHE FEHLER

Außer Fehlern der Beinbewegung besonders:
Die Gesamtbewegung ist unkoordiniert.
Die Schwimmlage (Gleitlage) ist steil.
Die Atmung ist mangelhaft.
Das Schließen der Beine ist nicht schwungvoll genug.
Die Gleitphase (Pause) ist zu kurz oder fehlt ganz.

ARMBEWEGUNG UND ATMUNG

ZIEL

Die Armbewegung ist eine ganzheitlich-rhythmische mit einem dazugehörenden Intervall. Sie soll mäßig weit, aber schnell und kraftvoll genug und vorwärtsziehend sein, darf jedoch das Wasser nicht „abreißen". Unbedingt zu vermeiden sind weites Seitziehen der Arme, Heranführen der Hände bis ans Kinn, ruckhaftes Vorstechen der Hände sowie ein hohes Heben des Kopfes, wie es früher üblich war. Andererseits ist eine extrem kurze, enge und schnelle Armbewegung auch nicht vorteilhaft. Die Atmung soll in den Bewegungsrhythmus einbezogen werden und tief genug erfolgen. Besonderer Wert ist auf ausreichendes Ausatmen zu legen.

Mit der Armbewegung und Atmung soll jedoch erst begonnen werden, wenn die Beinbewegung sicher beherrscht wird und der Übende eine größere Strecke nur durch Beinbewegungen einwandfrei durchschwimmen kann.

Zu früh eingeübte Armbewegungen haben häufig ein zu weites Seitziehen der Arme und eine steile Schwimmlage, sowie mangelhafte Beinbewegungen und ungenügenden Vortrieb zur Folge. Außerdem verläuft dann meistens die Gesamtbewegung unkoordiniert.

Das Zeigen und Üben der Armbewegung mit der Atmung soll nicht überbetont werden. Daher ist auf dieser Ausbildungsstufe möglichst bald die koordinierte Gesamtbewegung zu lehren und zu erlernen.

Die Verwendung von Schwimmkissen und -korken ist bei diesem Übungsabschnitt nicht angebracht.

Trockenübungen sind zu vermeiden.

93 AUSFÜHRUNG DER ARMBEWEGUNG

K Die Armbewegung ist ein ziehend-drückendes Vorwärtsrotieren mit Händen und Armen in unterschiedlichen Phasen. Beide Hände und Arme bewegen sich synchron und symmetrisch. Wie bei der Beinbewegung gibt es auch bei der Ausführung der Armbewegung zahllose Varianten. Jede individuelle Ausführung muß sich aber in die Gesamtbewegung einfügen (Korrelation der Bewegungen).

Zug- und Druckphase (Vortriebsphase, aktiv):

Aus der Gleitphase heraus drehen beide Hände und Unterarme seitwärts (Innenrotation der Arme, Hände leicht gewölbt und gebeugt, flache Schaufel)
und fassen das Wasser (anspannen),
ziehen seitwärts und leicht abwärts-rückwärts
und werden im Ellbogengelenk gebeugt (Zugphase),
die Hände führen einwärts kreisend wieder zusammen (Außenrotation), die Unterarme drücken,
und die Ellbogen nähern sich gebeugt vor der Brust (Druckphase).

Vorbring- und Gleitphase (hemmend, passiv):

Hände und Arme gleitend und Widerstand vermeidend

rasch wieder vorbringen und die Schultern mitnehmen, Hände und Arme strecken und entspannen! Pause!

Gleiten und im Wasser stützen! —

Beim Vorbringen und Gleiten werden die Hände und Arme flach im Wasser vorgeführt, die Hände liegen nebeneinander, waagerecht und mit dem Handrücken nach oben, die Finger sind locker gestreckt.

94 AUSFÜHRUNG DER ATMUNG

K Kräftig einatmen durch den Mund in der Zug- und Druckphase.

Tief ausatmen durch den Mund oder durch Mund und Nase über Wasser in der Vorbring- und Gleitphase.

KURZBESCHREIBUNG DER ARMBEWEGUNG UND ATMUNG

Gleiten und stützen,
drehen und Wasser fassen,
ziehen und beugen, } einatmen
drücken und sich nähern,
vorbringen und strecken, } ausatmen
entspannen und gleiten.

ÜBUNGSBEISPIELE

95 **Einführung** zunächst in breiter Schrittstellung, weniger

K günstig im Hock-Kniestand oder im Sitzen: Oberkörper beugen, bis die Schultern vom Wasser bedeckt sind, Arme locker gestreckt vornehmen.

96 **Kurzes Üben** der Armbewegung mit **Vorwärtsgehen** in brust- bis schultertiefem Wasser.

Anmerkung: Da Abtrieb und koordinierte Gesamtbewegung entfallen, können Armbewegung und Atmung konzentriert eingeübt werden. Selbstkontrolle und Lehrerkorrektur sind hierbei besonders gut möglich. — Weitere Übungsbeispiele sind unnötig. Nach dem Zeigen und Erlernen der Grobform von Armbewegung und Atmung wird gleich mit der Gesamtbewegung begonnen, bei der auch die Armbewegung speziell zu fördern ist.

MÖGLICHE FEHLER

Die gesamte Armbewegung ist langsam und zu weit: Sie bremst den Vortrieb zu sehr;
oder sie ist hastig und zu eng: Das Wasser wird „abgerissen", der Vortrieb ist minimal.
Die Finger werden nicht geschlossen.
Die Hände werden nicht leicht gewölbt und gebeugt.
Hände und Arme drücken (zu) stark abwärts, heben dadurch den Oberkörper, und dieser bremst.
Die Hände werden bis ans Kinn geführt.
Die Arme werden ruckartig nach vorn gestoßen.
Die Hände liegen mit ihren Innenflächen beim Vorführen aufeinander anstatt nebeneinander
oder werden geballt.
Die Gleitphase (Pause) ist zu kurz oder fehlt.
Ein- und Ausatmung sind hastig oder mangelhaft.

GESAMTBEWEGUNG

Koordination von Bein- und Armbewegung mit Atmung

ZIEL

Der Bewegungsablauf soll bei fast flacher Schwimmlage rhythmisch und koordiniert sein und ein kontinuierliches Vorwärtsschwimmen erzielen. In der Gesamtbewegung sollen die passiven Phasen der Arm- und Beinbewegungen möglichst wenig hemmen. Die Kraftimpulse der Vortriebsphasen sollen nicht gleichzeitig, sondern kurz nacheinander erfolgen. Dabei soll die Beinbewegung den größeren Vortrieb leisten. In der Gleitphase soll die Pause bei gestreckter Schwimmlage sein, um die Gleitwirkung optimal auszunutzen. Der Kopf befindet sich leicht angehoben über Wasser. Die Atmung bleibt dadurch ungehindert.

Die Ausführungen der Beinbewegung und der Armbewegung mit der Atmung sollen in direkter Korrelation und Korrespondenz stehen.

Später soll die Koordination der Bewegungen verbessert und die Leistung gesteigert werden. Individuelle Varianten der Technik sind zu einer optimalen Form für den Schwimmer zu bringen.

Trockenübungen der Gesamtbewegung sind wirklichkeitsfremd und störend und werden unbedingt abgelehnt.

Auf die Benutzung von Schwimmkissen und -korken als

Übung 97 a

reine Auftriebsmittel sollte auf dieser Ausbildungsstufe verzichtet werden.

Voraussetzung für den Beginn der Gesamtbewegung ist, daß die Beinbewegung sicher beherrscht wird und Armbewegung und Atmung in Grobform erlernt sind.

97 AUSFÜHRUNG

K In einem **rhythmischen Gesamtablauf** beginnen die aktive Phase der Armbewegung und die Grätschphase der Beinbewegung. Dabei setzt das Grätschen der Beine etwas später als das Ziehen der Arme ein. Dann folgen das Vorbringen der Arme und die aktive Phase der Beinbewegung. Die abschließende Gleitphase mit Pause

Übung 97 b

Übung 97 c

läßt den Vortrieb zur Wirkung kommen. Aber bevor noch die Gleitwirkung nachläßt und damit die Schwimmgeschwindigkeit herabsinkt, muß die nächste Gesamtbewegung einsetzen, damit das Vorwärtsschwimmen kontinuierlich und harmonisch ist.

Beim Schnell- und Leistungsschwimmen werden die Phasen schneller und kraftvoller und die Pausen kürzer, beim Dauerschwimmen werden die Phasen entsprechend langsamer und kraftsparender und die Pausen länger. Krafteinsatz der Vortriebsphasen und Dauer der Pausen hängen außerdem vom Schwimmer und seiner Leistungsfähigkeit ab.

KURZBESCHREIBUNG DER GESAMTBEWEGUNG

Armbewegung mit Atmung	**Beinbewegung**	**Sprachliche Hilfe**
ziehen		**Ar**-me
mit Einatmen	öffnen und anziehen (grätschen und beugen)	
und drücken		und
vorbringen mit Ausatmen	stoßen bzw. schwingen und schließen	**Bei**-ne
und gleiten	und gleiten	**Pau**-se

ÜBUNGSBEISPIELE

Zu beachten ist: Grundsätzlich im Lehrschwimm- oder Nichtschwimmerbecken üben! Wasser hüft- bis schultertief. Nur Freischwimmer dürfen in Tiefwasser!

98 K **Einführung der Gesamtbewegung** aus dem Gleiten entwickeln. Voraussetzung ist, daß die Beinbewegung allein ausreichenden Vortrieb erzeugt.

Zunächst Hechtschießen und eine Beinbewegung ausführen, um durch die Gleitwirkung in eine flache Brustlage zu gelangen. Dann Kopf aus dem Wasser heben und mit der Gesamtbewegung anfangen. Weiterschwimmen. — Pausen einlegen. Die Gesamtbewegung immer wieder aus dem Gleiten heraus beginnen und üben, bis sie hinreichend beherrscht wird.

99 **Kürzeste Strecken** mit 2, 3 oder 4 Schwimmbewegungen **ohne Atmung** schwimmen, Gesicht im Wasser. Danach sich hinstellen und ruhig durchatmen.

100 K **Häufiges Übungsschwimmen** zur Verbesserung der Technik und Leistung mit wechselnden Anforderungen über kurze und längere Strecken.

101 K **Bewegungsaufgabe:** Wer braucht die wenigsten Schwimmbewegungen, um quer, um längs durchs Becken zu schwimmen?

102 K **Wiederholen** von einzelnen Bewegungsabläufen vorhergehender Übungsabschnitte.

103 K In gewissen Fällen **mit Partnerhilfe** an der Hüfte oder Verwendung von **Schwimmkissen** um die Hüfte.

104 Brustschwimmen mit **Rolle vorwärts:** eine ganze Drehung vorwärts um die Frontalachse.

105 K **Dauerschwimmen** über 5, 10, 15 Minuten. Die Dauerleistung ist in ausreichendem Maße zu üben.

106 K **Gelegentliches Üben im Tiefwasser** kann die Leistung aus pädagogischen und psychologischen Gründen in starkem Maße fördern.

Im Tiefwasser aber nur einzeln unter Aufsicht üben lassen und Rettungsstange vor- oder bereithalten! Der Unterrichtende muß rettungsbereit sein!

107 K **Freischwimmen** über 15 Minuten im Schwimmerbecken. Aufsicht ist unbedingt erforderlich! Einzeln oder nur wenige Kandidaten gleichzeitig prüfen!

MÖGLICHE FEHLER

Fehler in den Beinbewegungen und Armbewegungen siehe oben!

Fehler in der Koordination:

Die Gesamtbewegung ist unkoordiniert oder arrhythmisch, hastig oder kraftlos.

Die Korrelation von Arm- und Beinbewegungen ist fehlerhaft.

Die einzelnen Gesamtbewegungen folgen zu schnell oder zu langsam aufeinander: Die Gleitphase ist dementsprechend zu kurz oder zu lang.

Die Schwimmlage ist kopflastig oder steil.

Die Atmung ist fehlerhaft oder ungenügend.

KRAULSCHWIMMEN

ALLGEMEINES

Wie beim Lehrgang für das Brustschwimmen bildet die Beherrschung des Vorkurses die allgemeine Voraussetzung und Grundlage auch für das Kraulschwimmen. Die Einzelbewegungen der Arme und Beine sowie die Gesamtbewegung des Kraulschwimmens können schon vor Beherrschung des Brustschwimmens und vor dem Erwerb des Freischwimmerzeugnisses erlernt und geübt werden. Brustschwimmen und Kraulschwimmen stören sich im allgemeinen nicht, wenn sie gleichzeitig oder kurzzeitig nacheinander gelehrt und erlernt werden. Schwimmschüler erlernen die Technik des Kraulschwimmens übrigens häufig schneller als die des Brustschwimmens, schaffen damit jedoch kaum die Leistung von 15 Minuten Dauerschwimmen für den Erwerb des Freischwimmerzeugnisses. Allerdings ist es leichter, nach dem Erlernen des Brustschwimmens zum Kraulschwimmen zu gelangen als umgekehrt.

Im Schwimmunterricht soll das Kraulschwimmen grundsätzlich allen Schülern gelehrt werden. Mit den befähigten Schülern kann das leistungsbetonte Kraulschwimmen später zusätzlich betrieben werden.

Im Gegensatz zum Brustschwimmen sind beim Kraulschwimmen Atmung und Armbewegung primär und intensiv zu üben, da die Atmung schwieriger ist und die Arme hier den Hauptvortrieb leisten.

Der Lehrgang für das Kraulschwimmen gliedert sich daher unter Berücksichtigung der didaktischen Grundsätze und als Fortsetzung des Vorkurses sinngemäß in folgende Übungsabschnitte:

Atmung,
Armbewegung und Atmung,
Beinbewegung,
Gesamtbewegung (Koordination von Arm- und Beinbewegung mit Atmung).

Schwimmgürtel aus Kork oder Kunststoff, Schwimmkissen und Schwimmbretter werden bei bestimmten Übungen der Arm- und Beinbewegungen gerne und erfolgreich benutzt:
Sie unterstützen ein konzentriertes, intensives und individuelles Erlernen und Üben der Bewegungen.
Ihre Auftriebskraft läßt sich beliebig verändern,
bei Schwimmgürteln durch mehr oder weniger Kork- bzw. Kunststoffteile,
bei Schwimmkissen durch mehr oder weniger Luft.

Trockenübungen sind auch beim Kraulschwimmen unnötig und werden abgelehnt.

Körperbildende Übungen zum Lockern und Beweglichmachen der Schultermuskeln und -gelenke sind ein spezielles Training für Leistungsschwimmer. Sie sind ebenfalls für Steiflinge und Krampflinge zu empfehlen.

ATMUNG

ZIEL

Die Atmung soll intensiv sein, sie soll rhythmisch erfolgen. Besonderer Wert ist auf die Ausatmung ins Wasser zu legen. Das Einatmen auf der Seite stört die vorteilhafte Schwimmlage nicht. Obwohl Armbewegung und Atmung beim Kraulschwimmen eng miteinander verbunden sind, ist es dennoch berechtigt, die Atmung intensiv für sich zu üben. Richtiges Atmen ist eine Bedingung für richtiges Kraulschwimmen.

Nach den Tauchübungen des Vorkurses wird das Atmen für das Kraulschwimmen relativ leicht erlernt. Wird die Technik des Atmens jedoch nicht beherrscht, ist das Erlernen der Armbewegung sowie der Gesamtbewegung sehr erschwert.

108 AUSFÜHRUNG

K Die Atemseite kann beliebig rechts oder links sein: Der Kopf wird zur Atemseite gedreht, bis der Mund freiliegt, und die Schulter der Atemseite taucht geringfügig aus dem Wasser auf. Der Oberkörper kann bei der Kopfdrehung wenig um seine Längsachse rollen. Im Idealfall soll das Atmen jedoch nur durch ein Drehen des Kopfes erfolgen, und Rumpf und Schultern sollen ihre schräge Gleitbootlage nicht verändern.

Einatmen auf der Seite durch den Mund schnell und knapp über Wasser, möglichst in dem Wellental, das durch die Bugwelle des Kopfes erzeugt wird. Kopf und Gesicht rasch ins Wasser zurückdrehen. Rumpf und Schultern liegen wieder waagerecht.

Ausatmen durch den Mund oder durch Mund und Nase gerade ins Wasser: Luft intensiv ins Wasser drücken! Verbliebene Restluft kann auch unmittelbar vor dem Einatmen über Wasser ausgestoßen werden.

Der Kopf schneidet beim Ausatmen etwa zwischen Nase und Stirn bzw. Haaransatz das Wasser. Dabei ist auch ein Orientieren nach vorn möglich.

ÜBUNGSBEISPIELE

109 **Einführung im Knieliegestütz:** Hände aufgestützt, Schul-
K tern vom Wasser bedeckt, Gesicht im Wasser.

110 **Im Liege- oder Schwebestütz** ein- und ausatmen.

111 **Im Grätschstand,** Wasser schultertief. —
K Auch vor der Überlaufrinne stehen: Den Arm der Atemseite locker liegen lassen, mit der Hand des anderen Armes auf die Überlaufrinne fassen.

112 **In Schwimmlage vor der Beckenwand:** Die Hand der
K Gegenatemseite faßt bei gestrecktem Arm auf die Überlaufrinne, der Arm der Atemseite kann locker nach vorn im Wasser liegen, um die Querstabilität zu erhalten, oder kann nach hinten genommen werden. Die Füße sind lose in einem Schwimmgürtel (-kissen) eingehängt.

113 **Als Dauerleistung** 10-, 20-, 30-mal hintereinander.

114 **Wiederholen von Tauchübungen** des Vorkurses.

Übung 112

MÖGLICHE FEHLER

Der Kopf wird dauernd gehoben und gesenkt oder wird von einer Seite zur anderen gerissen.

Der Kopf schneidet das Wasser zu tief (mit dem Hinterhaupt) oder zu hoch (mit Kinn oder Hals).

Die Ein- oder Ausatmung ist zu gering und führt dadurch zu Sauerstoffmangel und frühem Nachlassen der Leistung.

Das Einatmen geschieht zu langsam. Dadurch rollt der Rumpf stark auf die Seite.

Die Atmung erfolgt arrhythmisch und stört dadurch die Armbewegung.

ARMBEWEGUNG UND ATMUNG

ZIEL

Die Armbewegung soll in rhythmischem Wechsel erfolgen, ihre Kraftimpulse sollen einen kontinuierlichen Vortrieb erzeugen. Die Atmung soll zur Armbewegung koordiniert sein.

Allgemein ist zunächst mehr Wert auf die Feinformung mit mäßigem Tempo zu legen als auf schnelles, erschöpfendes Schwimmen über kurze Sprintstrecken.

AUSFÜHRUNG

Die Armbewegung beim Kraulschwimmen ist eine Wechselbewegung beider Arme nacheinander in einem ganzheitlichen, ununterbrochenen Bewegungsablauf. Jede Armbewegung ist eine Bewegungseinheit aus der Vortriebsphase im und der Vorbringphase über Wasser.

Jede Ausführung hat natürlich zahllose individuelle Varianten. Die beiden Phasen der Armbewegung sind außer ihrer verschiedenen Ausführung auch in Krafteinsatz und Zeitdauer unterschiedlich.

Die Vorbringphase über Wasser ist kürzer, die Vortriebsphase im Wasser ist länger. Daher gleitet und stützt der vorgebrachte Arm noch vor dem erneuten Durchzug im Wasser. Krafteinsatz bzw. Dauer beider Phasen sind von Schwimmstrecke und Schwimmleistung abhängig und sind bei Sprintstrecken sehr intensiv, bei langen Strecken kraftsparender bzw. ausgedehnter.

115 **Vortriebsphase im Wasser** (Arbeitsphase, aktiv):

K **Armbewegung:** Die Finger sind geschlossen, die Hand ist leicht gewölbt (flache Schaufel), der ganze Arm ist locker gestreckt, die Schulter ist etwas vorgeschoben. Aus dem Gleiten und Stützen heraus mit der gewölbten Hand das Wasser fassen, mit Hand und ganzem Arm ziehen und bis am Oberschenkel vorbei drücken (vertikale Bewegungsrichtung). Dabei den Arm leicht beugen und bis zum Herausnehmen wieder strecken oder auch gebeugt beibehalten. Hand und Arm entspannen!

Einatmen: Auf der Atemseite durch den Mund einatmen, wenn der Arm mit dem Drücken und Herausnehmen seine Vortriebsphase beendet und mit dem Vorschwingen seine Vorbringphase beginnt; dabei stützt der gestreckte Arm der Gegenatemseite durch Gleiten im Wasser:

Den Kopf zur Atemseite drehen und einatmen. Die Schulter wird dabei etwas angehoben, und der Oberkörper kann ein wenig um seine Längsachse rollen.

Vorbringphase über Wasser (Entspannungsphase, passiv):

Armbewegung: Das Vorbringen der Arme kann in zwei unterschiedlichen Ausführungen erfolgen, zwischen denen zahllose mögliche Varianten liegen.

116 **Ausführung 1:** Arm und Hand entspannt aus dem Was-

K ser nehmen, dabei im Ellbogengelenk nur leicht beugen, locker und horizontal dicht über Wasser vorführen bzw. vorschwingen (mehr horizontale Bewegungsrichtung, Daumen zeigt zum Wasser, Hand weit vom Körper), flach und gleitend ins Wasser schieben und stützen.

Übung 116

117 **Ausführung 2:** Arm und Hand mit stark angewinkeltem

K und angehobenem Ellbogen nahe am Körper vorbringen und stechend, aber flach vorwärtsgleitend ins Wasser eintauchen (mehr vertikale Bewegungsrichtung).

Ausatmen (zu Ausführung 1 und 2): Dabei durch den Mund oder durch Mund und Nase nach vorn ins Wasser ausatmen, wenn der Arm der Atemseite im Wasser vorgleitet, stützt und zu ziehen beginnt.

Übung 117

Übungen 119, 120, 121

Während zweier Armzüge links-rechts bzw. rechts-links also einmal ein- und ausatmen (Doppelzugatmung).

KURZBESCHREIBUNG

Gleiten und stützen,
Wasser fassen (anspannen),
ziehen (Arm leicht beugen) und
drücken (Arm wieder strecken),
entspannt herausnehmen und } einatmen
über Wasser vorbringen,
flach ins Wasser schieben, } ausatmen
gleiten und stützen.

ÜBUNGSBEISPIELE

Um die Armbewegung konzentrierter erarbeiten zu können, werden alle Übungen zunächst ohne Beinbewegung ausgeführt. Gelegentlich und später ist es vorteilhaft, wenn die Beine leicht mitpendeln oder kräftiger mitschlagen. Die Verwendung von Schwimmgürteln oder -kissen um Hüfte, Knie oder Füße ermöglicht es, die Armbewegung intensiv zu üben und zu verbessern.

118 **Einführung im Grätschstand** mit vorgebeugtem Oberkörper: Wasserwiderstand erfühlen, Bewegung locker ausführen; ohne und mit Kraulatmung.

Übungen 122 und 123

119 **Mit wechselseitigem Aufstützen der Hände** in stütz-
K tiefem Wasser, Schultern bedeckt:
Durch das Wasser stützeln, Beine schleifen nach, zunächst ohne, später mit Kraulatmung.

120 **Zur Feinformung mit Schwimmgürtel oder -kissen um**
K **die Hüfte** (nicht um die Taille):
Langsam und locker schwimmen, ohne Beinbewegung. Später Strecke und Tempo steigern und variieren. — Auch kurze Strecken ohne Atmung schwimmen.

121 **Mit Schwimmgürtel, -kissen um Knie oder Füße:**
K Bewegungskoordination und Leistung verbessern.

122 **An der Überlaufrinne:** Einen Fuß einhängen, Knie ge-
K beugt, mit dem anderen Fuß darunter an der Beckenwand stützen und den Oberkörper in die horizontale Schwimmlage drücken: Kein Vorwärtsschwimmen möglich! Daher locker und langsam üben! Gute Selbstkontrolle und Lehrerkorrektur! Siehe Fußnote S. 36.

123 **Mit Partner:** Der Helfer faßt locker beide Knöchel oder
P Oberschenkel und geht im Schwimmtempo mit.

124 **In Verbindung mit Gleitübungen:** Über kurze Strecken auch ohne Atmung. — In Rückenlage mit Armbewegung des Rückenkraulschwimmens.

MÖGLICHE FEHLER

Die Vortriebsphase ist verkrampft, sie erfolgt nicht gleichmäßig und nicht kraftvoll genug.
Der Arm wird im Wasser zu stark gebeugt und unter dem Leib durchgezogen
oder zu früh aus dem Wasser genommen.
Die Finger werden gespreizt oder verkrampft.
Arm und Hand werden beim Vorbringen zu hoch aus dem Wasser gehoben (Hand höher als der Ellbogen)
oder schlagen stark spritzend ins Wasser.
Atmung und Kopfbewegung sind falsch.
Oberkörper und Hüfte rollen stark auf die Seite.
Die Schulter der Atemseite wird zu hoch genommen.
Weitere Fehler siehe Atmung!

BEINBEWEGUNG

ZIEL

Die Beinbewegung soll in rhythmischem Wechsel schnell und kraftvoll erfolgen. Sie soll den Körper in eine flache Schwimmlage bringen und ihn kontinuierlich vorwärtstreiben.
Beim Einführen und ersten Üben ist auf eine lockere und mäßig schnelle Beinbewegung zu achten. Ein übermäßiges Üben der Einzelbewegung der Beine ist jedoch unnötig, da der Bewegungsablauf im allgemeinen von den Schwimmschülern schnell erlernt wird.
Bei fortgeschrittenen Schwimmern ist ein ausschließliches Training der Beinbewegung zur Verbesserung der Technik und zur Steigerung der Leistung dagegen förderlich und vertretbar.

125 AUSFÜHRUNG

K Die Beinbewegung ist eine Wechselbewegung beider Beine nacheinander in einem ununterbrochenen Bewegungsablauf abwärts-aufwärts aneinander vorbei. Sie erzeugt einen ständigen Vortrieb.

Im oberen Wendepunkt ist das Bein im Kniegelenk wenig gebeugt, im unteren Wendepunkt ist es gestreckt.

Die Beinbewegung zunächst mäßig, bei Leistungssteigerung später kraftvoller, aber immer gleichmäßig ausführen, jedoch soll sie weder zu knapp noch zu weit oder breit ausfallen.

Kraftansatz aus dem Rumpf nehmen, Kraftübertragung bis zu den Zehen fortpflanzen.

Das Abwärtsbewegen beginnt mit gebeugtem Bein: Der Oberschenkel führt und drückt, Unterschenkel und Fußspann drücken und schlagen gegen das Wasser.

Im unteren Wendepunkt wird das Kniegelenk zum Abschluß peitschend gestreckt: Flossenartige Schlagwirkung von Unterschenkel und Fußspann.

Das Aufwärtsbewegen erfolgt mit gestrecktem Bein: Ganzes Bein und Fußsohle drücken und schlagen kraftvoll gegen das Wasser (Flossenwirkung).

Im oberen Wendepunkt endet die Aufwärtsbewegung mit leicht gebeugtem Kniegelenk: Der Oberschenkel leitet die Abwärtsbewegung ein, Unterschenkel und Fuß schwingen erst nach oben und dann abwärts. — Die Fußsohlen sollen die Wasseroberfläche gar nicht oder nur mäßig durchbrechen. Die Füße sind locker gestreckt und überschneiden sich in der Vertikalen ein wenig: Abwärts die Fersen mäßig auswärts- und die Fußspitzen leicht einwärtsdrehen, aufwärts sie wieder mehr geradedrehen (Flossenwirkung).

Übungen 129 und 130

ÜBUNGSBEISPIELE

126 **Einführung** in Brust- und Rückenlage auf der Treppe,
K Hände unterstützen im Schwerpunkt. Siehe S. 36!
In Rückenlage gute Selbstkontrolle möglich. —

127 **Mit Vorwärtsstützeln in stütztiefem Wasser:** lockere Beinbewegung, leichtes Vorwärtskommen.

Übung 132

128 **Gleiten mit Beinbewegung über kürzere Strecken:**
K **In Brustlage** Arme gestreckt vornehmen, ohne und mit Atmung. — Auch mit Schwimmflossen.
In Rückenlage Arme locker gestreckt neben dem Körper lassen. Die Atmung ist hierbei ungehindert.

129 **Mit Schwimmbrett, Schwimmgürtel oder -flossen über**
K **längere Strecken,** jedoch nicht überbetonen.
Für Fortgeschrittene besonders geeignet, die Technik zu verbessern und die Leistung zu steigern.

130 **Mit Partnerhilfe:** Partner zieht mit Handfassung
P (Schwimmer in Brustlage) oder mit Kopf- oder Achselgriff (Schwimmer in Rückenlage).

131 **Mit Festhalten an der Überlaufrinne:** Siehe Brustschwimmen Übung 77! Selbstkontrolle und Lehrerkorrektur gerade bei großen Schülerzahlen gut möglich. Jedoch kein Vorwärtsschwimmen! Siehe Fußnote S. 36!

132 **Festhalten** an der Überlaufrinne mit gebeugten Armen **bei senkrecht hängendem Körper:**
Durch Beinbewegung allmählich in Schwimmlage hochtreiben, dabei die Arme strecken.
Beine absinken lassen und Übung wiederholen.

133 **Frei ohne Armbewegung über längere Strecken** in
K Brust- und Rückenlage, schwerere Form, mehr als Konditionstraining für Fortgeschrittene geeignet.

134 **Hecht- und Delphintauchen** mit Beinbewegung.
K Ziel-, Tunnel- und Slalomtauchen mit Beinbewegung.

MÖGLICHE FEHLER

Die Beinbewegung wird zum Nachteil der Armbewegung zu stark geübt oder übertrieben.
Die Oberschenkel werden angezogen und gestreckt, anstatt sich abwärts- und aufwärtszubewegen.
Die Füße, in Rückenlage Füße und Knie, schlagen stark aus dem Wasser („Wasser kochen").
Die Bein- oder Fußhaltung ist verkrampft.
Der Körper hebt und senkt sich in den Hüftgelenken oder wedelt seitlich hin und her.
Der Körper wird nicht gestreckt, vor allem nicht in der Rückenlage.

GESAMTBEWEGUNG

Koordination von Arm- und Beinbewegung mit Atmung

ZIEL

Die Gesamtbewegung soll rhythmisch und koordiniert, die Schwimmlage bei gestrecktem Körper leicht schräg sein (Gleitbootlage). Dann können sich Beine und Füße wirkungsvoll abwärts- und aufwärtsbewegen. Der Kopf soll wenig angehoben sein und etwa zwischen Nase und Haaransatz das Wasser schneiden.

Die Kraftimpulse der Vortriebsphasen der Arm- und Beinbewegungen sollen kontinuierlich wirken und damit einen ständigen Vortrieb erzeugen. Hemmende Phasen wie beim Brustschwimmen fehlen.

In der Feinformung soll die Technik verbessert und die Leistung gesteigert werden, ohne den Schwimmer zu überfordern oder zu erschöpfen. Es sollen später nicht nur kurze Sprintstrecken schnell und kraftfordernd geschwommen, sondern auch längere Strecken in schonenderem Tempo bewältigt werden.

Individuelle Varianten der Bewegungsausführung, die beim Kraulschwimmen wie bei jeder Schwimmtechnik auftreten, sind zu einer optimalen Form für den Schwimmer zu bringen.

Mit der Gesamtbewegung soll erst begonnen werden, wenn die Atmung sicher beherrscht wird und die Armbewegung allein ausreichenden Vortrieb leistet.

Übung 135 a

135 AUSFÜHRUNG

Arm- und Beinbewegungen erfolgen koordiniert oder auch weitgehend selbständig bzw. unabhängig voneinander in rhythmischem Ablauf, immer aber in einer Korrelation des gesamten Bewegungsablaufes.

Auf eine Doppelarmbewegung links-rechts kommen drei Doppelbeinbewegungen (-schläge) links-rechts. Dieser Sechserschlag ist allgemein am günstigsten.

Jedoch kann die Schlagzahl auf Sprintstrecken erhöht, auf langen Strecken vermindert werden.

Die mögliche Dreierzugatmung ist relativ selten. Sie wird vornehmlich auf Sprintstrecken angewendet.

Übung 135 b

Übung 135 c

ÜBUNGSBEISPIELE

Zu beachten ist: Grundsätzlich dürfen nur Freischwimmer ins tiefe Schwimmerbecken! — Lehrerkorrektur und Selbstkontrolle sind wichtig und unerläßlich.

136 **Einführung** aus dem Gleiten (Hecht- oder Delphinschie-
K ßen) entwickeln, dann Gesamtbewegung beginnen.

Vielseitiges Üben verbessert die Bewegungskoordination und steigert die Leistung:
Langsam und kraftsparend oder schnell und kraftvoll, über kurze und über lange Strecken schwimmen.

Einzelübungen der Arm- und Beinbewegungen wiederholen, variieren und steigern!

MÖGLICHE FEHLER

Der Schwimmschüler wird überfordert, seine Leistungen werden erzwungen.
Die Gesamtbewegung ist unkoordiniert, arrhythmisch, hastig, verkrampft oder kraftlos.
Die Arm- oder Beinbewegung wird zu langsam ausgeführt oder erzielt keinen Vortrieb.
Die Schwimmlage ist steil (Beinbewegung zu schwach) oder kopflastig (Armbewegung zu schwach).
Der Körper rollt stark um seine Längsachse.
Fehler der Atmung, der Arm- und Beinbewegungen werden wiederholt.

ÜBERSICHT ÜBER DAS DREHEN UM DIE KÖRPERACHSEN

LÄNGS- ODER LÄNGENACHSE: Von oben nach unten längs durch den Körperschwerpunkt.
FRONTAL- ODER BREITENACHSE: Von rechts nach links quer durch den Körperschwerpunkt.
SAGITTAL- ODER TIEFENACHSE: Von vorn nach hinten in der Tiefe durch den Körperschwerpunkt.

Beim Schwimmen, Wenden, Tauchen und Springen sind Drehungen um alle drei Körperachsen sowie um deren Kombinationsachsen möglich.
Drehimpuls und Kraftansatz erfolgen aus der Körpermitte und durch entsprechende Arm- und Beinbewegungen sowie durch Beugen und Strecken des Körpers.

DREHEN UM DIE LÄNGSACHSE
Links oder rechts herum. Richtung gleichbleibend.

1. **Halbe Drehung** um 180° von Brust- in Rückenlage oder von Rücken- in Brustlage.
2. **Ganze Drehung** um 360° von Brust- in Brustlage oder von Rücken- in Rückenlage.

Anwendung: Beim Schwimmen, Übungen 54, 91, 128;
am Ort auf der Treppe, Übung 14;
beim Wassertreten, Übung 24;
als Hockkreisel, Übung 18;
beim Springen, Übungen 150, 152, 153.

DREHEN UM DIE FRONTALACHSE

1. **Halbe Drehung,** Schwimmrichtung wird gewechselt:
   Nach **vorwärts** drehen um 180° von Rücken- in Brustlage (Kopf bleibt über Wasser) oder
   von Brust- in Rückenlage (Kopf unter Wasser).
   Nach **rückwärts** drehen um 180° von Brust- in Rükkenlage (Kopf bleibt über Wasser) oder
   von Rücken- in Brustlage (Kopf unter Wasser).
2. **Ganze Drehung,** Schwimmrichtung wird beibehalten:
   Nach **vorwärts** drehen um 360° von Brust- in Brustlage (Rolle vorwärts, Kopf taucht unter Wasser).
   Nach **rückwärts** drehen um 360° von Rücken- in Rükkenlage (Rolle rückwärts, Kopf unter Wasser).

Anwendung: Beim Schwimmen, Übungen 43, 92, 104, 166, 167; beim Springen, Übungen 154—161;
beim Tauchen, Übungen 179—182.

DREHEN UM DIE SAGITTALACHSE
Schwimmlage gleichbleibend in Brust- oder Rückenlage.

1. In der Bewegung in beliebige Schwimmrichtung:
   durch stärkeren Einsatz der bogenäußeren Extremitäten oder durch rasches Wenden (Herumwerfen) rechts oder links herum, Übung 165.
2. Auf der Stelle in beliebige Schwimmrichtung:
   in Rückenlage durch Handpaddeln, Übung 144,
   in Brustlage durch geringe Kraulbeinbewegung und leichtes waagerechtes Wedeln der Arme und Hände.

RÜCKENKRAULSCHWIMMEN

ALLGEMEINES

Didaktische Grundsätze und methodischer Aufbau, Bewegungsziel und Bewegungsausführung, Übungsbeispiele und mögliche Fehler entsprechen sinngemäß denen des Kraulschwimmens und werden daher nicht besonders behandelt. Die Beherrschung des Vorkurses wird auch beim Rückenkraulschwimmen allgemein gefordert und vorausgesetzt.
Rückenkraulschwimmen und Kraulschwimmen ergänzen sich und verbessern gegenseitig Technik und Leistung. Schwimmer, die Brustschwimmen und Kraulschwimmen beherrschen, lernen meistens auch schnell das Rückenkraulschwimmen. Mit dem Erlernen und Üben der Technik des Rückenkraulschwimmens kann aber schon frühzeitig und vor dem Erwerb des Freischwimmerzeugnisses begonnen werden.
Der Lehrgang für das Rückenkraulschwimmen gliedert sich in folgende Übungsabschnitte:
Armbewegung und Atmung,
Beinbewegung,
Gesamtbewegung.

ARMBEWEGUNG UND ATMUNG

ALLGEMEINES

Die Armbewegung beim Rückenkraulschwimmen ist eine Wechselbewegung beider Arme nacheinander in einem ganzheitlichen, ununterbrochenen Bewegungsablauf. Ihre Kraftimpulse sollen einen kontinuierlichen Vortrieb erzeugen.
Jede Armbewegung des Rückenkraulers ist eine Bewegungseinheit aus der Vortriebsphase im Wasser und der Vorbringphase über Wasser. Beide Phasen sind in Ausführung und Zeitdauer unterschiedlich und hängen von Schwimmstrecke und Schwimmleistung ab.
Grundsätzlich ist die Armbewegung mit der des Kraulschwimmens verwandt. Sie leistet auch beim Rückenkraulschwimmen den Hauptvortrieb.
Die Atmung ist intensiv und erfolgt rhythmisch. Sie ist in der Rückenlage relativ ungehindert und fügt sich harmonisch in die Armbewegung ein. Bei einer Doppelarmbewegung (zwei Armzüge links-rechts) wird ein- und ausgeatmet (Doppelzugatmung). —
Die Atmung kann auf den linken oder rechten Arm beliebig bezogen werden.

137 AUSFÜHRUNG DER ARMBEWEGUNG

K Vortriebsphase im Wasser (Arbeitsphase, aktiv):

Nach dem Vorbringen und Eintauchen des Armes zeigt die Handkante nach unten, der Arm ist locker gestreckt, nicht weiter als schulterbreit,
die Hand ist leicht gewölbt und etwas gebeugt,
die Finger sind geschlossen.

Die Schultern bleiben im Wasser und werden nur beim Herausnehmen des Armes wenig angehoben.

Die Armbewegung weich beginnen,
mit gewölbter und gebeugter Hand das Wasser fassen,
mit Hand und ganzem Arm schaufelartig wie ein Ruderblatt seitwärts und der leicht schrägen Schwimmlage entsprechend durchs Wasser ziehen und
bis fast an den Oberschenkel drücken. Entspannen!

Dabei den Arm mehr oder weniger beugen und bis zum Herausnehmen wieder strecken, und die Handbeugung möglichst rechtwinklig der Kraftrichtung anpassen.

Vorbringphase über Wasser (Entspannungsphase, passiv):

Arm und Hand entspannt aus dem Wasser nehmen, locker gestreckt nach rückwärts über Wasser vorführen bzw. -schwingen und mit der Handkante zuerst, ohne Schlagen und Spritzen rasch, aber weich ins Wasser hineinschieben und -tauchen, nicht direkt überm Kopf, sondern mindestens in Höhe der Schulterbreite oder etwas weiter.

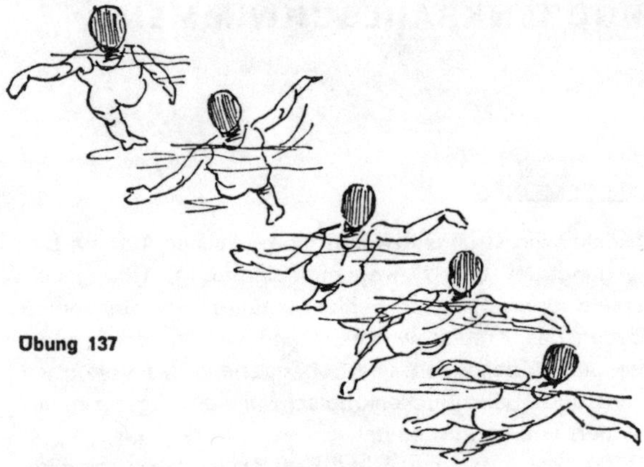

Übung 137

138 AUSFÜHRUNG DER ATMUNG

K Einatmen durch den Mund, wenn der eine Arm nach rückwärts vorgeführt wird und eintaucht.

Ausatmen durch den Mund oder durch Mund und Nase, wenn derselbe Arm zieht, drückt und herausgenommen wird. — Auf tiefes Ausatmen achten!

KURZBESCHREIBUNG

Wasser fassen (anspannen),	
ziehen und drücken,	ausatmen
entspannt herausnehmen,	
über Wasser vorführen und eintauchen.	einatmen

BEINBEWEGUNG

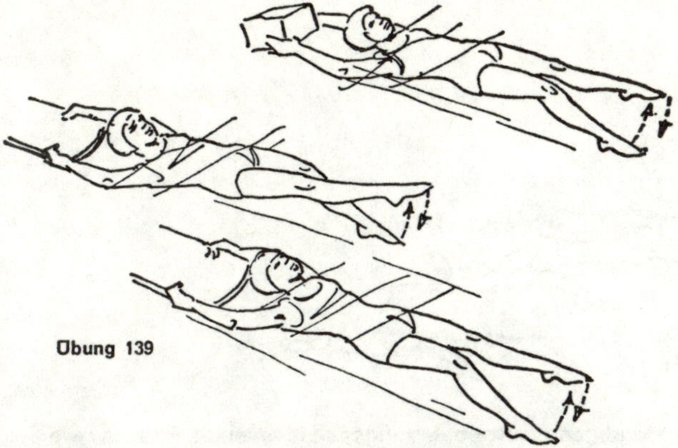

Übung 139

139 AUSFÜHRUNG DER BEINBEWEGUNG

K Die Bewegungsausführung entspricht sinngemäß der des Kraulschwimmens, nur mit umgekehrter Bewegungsrichtung. Sie ist eine Wechselbewegung beider Beine nacheinander in einem ununterbrochenen Bewegungsablauf abwärts-aufwärts aneinander vorbei. Der Kraftansatz erfolgt aus dem Rumpf. Die Kraftübertragung pflanzt sich bis zu den Zehen fort. Die Kraftwirkung soll möglichst den Körperschwerpunkt treffen. Im oberen Wendepunkt ist das Bein im Kniegelenk gestreckt, im unteren Wendepunkt ist es gebeugt.

Das Abwärtsbewegen beginnt mit gestrecktem Bein und Fuß, die gegen das Wasser drücken und schlagen. Dabei wird das Bein im Kniegelenk allmählich gebeugt. **Im unteren Wendepunkt** endet die Abwärtsbewegung mit gebeugtem Kniegelenk und gestrecktem Fuß und geht ohne Pause in die Aufwärtsbewegung über.

Das Aufwärtsbewegen beginnt mit gebeugtem Kniegelenk und gestrecktem Fuß: Der Oberschenkel führt und drückt, Unterschenkel und Fuß folgen in ihrer Bewegung und drücken und schlagen gegen das Wasser. **Im oberen Wendepunkt** wird das Bein im Kniegelenk peitschend gestreckt: Flossenartige Schlagwirkung von Unterschenkel und Fuß. Die Aufwärtsbewegung endet mit gestrecktem Bein und Fuß. —

Anmerkungen: Die Füße sind beim Wechselbewegen locker gestreckt, im Sprunggelenk aber entspannt. Sie überschneiden sich in der Vertikalen ein wenig: Beim Abwärtsbewegen den Fuß mehr geradestellen als einwärtsdrehen, beim Aufwärtsbewegen die Fersen mäßig auswärts- und die Fußspitzen wenig einwärtsdrehen (Flossenwirkung). — Die Knie sollen in der Rückenlage nicht aus dem Wasser stoßen oder angezogen werden („Radfahren“).

Einzel- und Gesamtbewegung intensiv üben.

Die erschwerte Orientierungsmöglichkeit in Schwimmrichtung beachten. Sich an seitlichen Punkten (z. B. Einsteigleitern) orientieren.

GESAMTBEWEGUNG

Übung 140

140 ZIEL UND AUSFÜHRUNG

K Die Gesamtbewegung soll rhythmisch sein und in Korrelation der Arm- und Beinbewegungen stehen. Arm- und Beinbewegungen sollen koordiniert oder auch selbständig bzw. unabhängig voneinander in rhythmischem Ablauf erfolgen. Auf eine Doppelarmbewegung links-rechts kommen drei Doppelbeinbewegungen (Doppelbeinschläge) links-rechts (Sechserschlag). Die Schlagzahl der Beinbewegung kann wie beim Kraulschwimmen erhöht oder vermindert werden.
Die Kraftimpulse der Vortriebsphasen der Arm- und Beinbewegungen sollen kontinuierlich wirken und einen ständigen Vortrieb erzeugen. Hemmende Phasen wie beim Brust- oder Rückenschwimmen fehlen.
Die Schwimmlage ist leicht schräg. Der Körper liegt in der Rückenlage locker gestreckt und ruhig im Wasser und ist nur wenig im Hüftgelenk gebeugt. Der Kopf wird etwas angehoben. Übermäßiges Abbeugen in Hüft- und Nackengelenken hat ein „Sitzen" im Wasser und damit eine ungünstige Schwimmlage zur Folge.
Wie bei jeder Schwimmtechnik sind auch beim Rückenkraulschwimmen individuelle Varianten der Bewegungsausführung möglich. Sie sind zu einer optimalen Form für den Schwimmer zu bringen.

RÜCKENSCHWIMMEN

ALLGEMEINES

Die allgemeinen didaktischen Grundsätze für das Schwimmen gelten auch für das Rückenschwimmen. Didaktisch-methodischer Aufbau, Bewegungsziel, Übungsbeispiele und mögliche Fehler entsprechen sinngemäß denen des Brustschwimmens. Augenfälliger Unterschied zum Brustschwimmen ist die andersartige Armbewegung sowie allgemein die Rückenlage.

Das Rückenschwimmen kann mit Armbewegung und ohne Armbewegung durchgeführt werden.

141 **Das Rückenschwimmen ohne Armbewegung** wird in be-
K sonderem Maße für das Rettungsschwimmen benötigt. Ebenfalls wird es beim Jugendschwimmschein verlangt. Es sollte daher sorgfältig geübt und sicher beherrscht werden. Der Vortrieb erfolgt allein durch Beinbewegung. Diese entspricht der Stoßgrätsche des Brustschwimmens in Rückenlage. Sie wird beim Brustschwimmen (Übungen 71, 78, 79, 88 — 92) bereits weitgehend erlernt und geübt und bedarf nun der speziellen Ausformung. Zu beachten ist, daß Knie und Oberschenkel beim Grätschen nicht aus dem Wasser genommen werden dürfen.

Beim Rückenschwimmen mit Armbewegung wird unterschieden zwischen:

volkstümlichem Rückenschwimmen (Zurückführen der Arme **unter** Wasser bis in Schulterhöhe) und

Rücken-Gleichschlagschwimmen (Zurückführen der Arme **über** Wasser bis über den Kopf).

Beide Schwimmarten können als Erholungsphasen beim Schwimmen über längere Strecken benutzt werden. Sie besitzen natürlich nicht die Bedeutung wie die anderen Schwimmarten. Sie fördern jedoch die Wassersicherheit und erweitern die schwimmerischen Fähigkeiten.

Das Rücken-Gleichschlagschwimmen ist allerdings heute als sportliche Disziplin gestrichen. Davon abgesehen, vermeiden besonders unsichere Schwimmer diese Schwimmart, weil bei fehlerhafter Schwimmlage und Beinbewegung das Gesicht häufig von Wasser überspült wird, so daß Schwierigkeiten beim Atmen auftreten können.

Deshalb wird vielfach das sehr erholsame volkstümliche Rückenschwimmen bevorzugt. Es besitzt einen günstigen Auftrieb und erfordert bei mäßigem Tempo nur einen geringen Krafteinsatz.

VOLKSTÜMLICHES RÜCKENSCHWIMMEN

142 BEINBEWEGUNG

K Die Bewegungsausführung entspricht der Stoßgrätsche des Brustschwimmens in Rückenlage: Aus dem Gleiten Knie und Oberschenkel öffnen und anziehen, Fußspitzen anziehen, sich mit Fußsohlen vom Wasser abstoßen, Füße und Beine strecken und schwungvoll schließen. Entspannen! Pause! Gleiten! Vortrieb ausnutzen!

143 ARMBEWEGUNG UND ATMUNG

Ausholphase unter Wasser (Beugephase, hemmend): Arme und Hände liegen entspannt am Körper, Arme im Wasser weich zurücknehmen und dabei im Ellbogengelenk beugen, bis die Oberarme Schulterhöhe erreichen, Handflächen zeigen nach unten. Mit Unterarmen und Händen bis zur Armstreckung ausholen. Dabei rotieren die Arme, bis die Handflächen senkrecht stehen. **Vortriebsphase unter Wasser** (aktiv): Mit Unterarmen und Händen schwungvoll bis an die Oberschenkel schlagen (Rückstoßwirkung). Entspannen! Gleiten! **Einatmen** durch den Mund beim Ausholen der Arme. **Ausatmen** beim Schlagen der Arme.

144 **Paddeln:** Die Armbewegung kann bis zu einem Hand-
K kreiseln verringert werden, bei dem die Arme nur geringfügig ausholen (leichte Beugung im Ellbogengelenk) und der Vortrieb durch ein schlagartiges Kreiseln der Hände in Richtung Oberschenkel erfolgt.

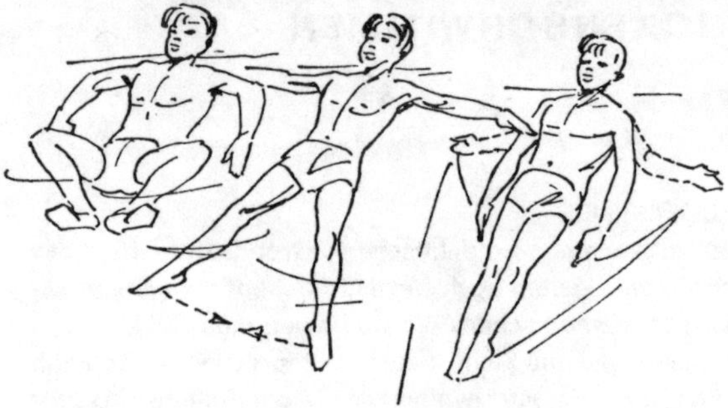

Übung 145

Bei gestreckter Lage auch ohne Beinbewegung. — Durch rotierendes Vorwärtskreiseln der Hände ist ein Schwimmen bei gestreckter Rückenlage auch **fußwärts-vorwärts** möglich.

145 GESAMTBEWEGUNG

Schwimmlage: flach, Körper locker gestreckt in Rückenlage, Kopf leicht angehoben, Kinn angezogen.

Die Aushol- und Vortriebsphasen der Bein- und Armbewegungen erfolgen stets synchron und korrelierend in einem ganzheitlichen, rhythmischen Bewegungsablauf. Beine und Arme beugen gleichzeitig, schlagen und schließen gleichzeitig und gleiten gleichzeitig.

RÜCKEN-GLEICHSCHLAGSCHWIMMEN

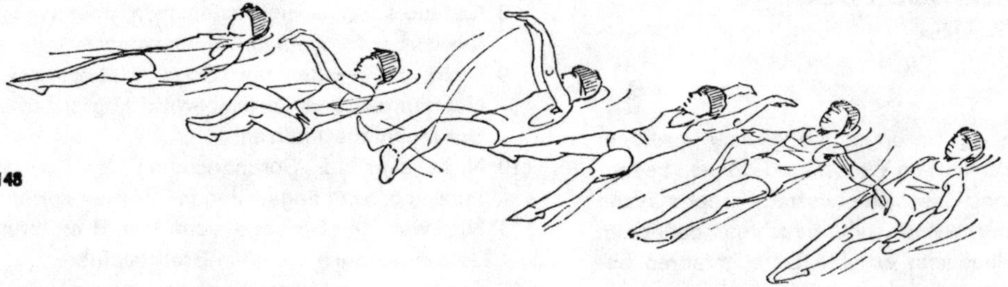

Übung 148

146 BEINBEWEGUNG

Die Bewegungsausführung ist die gleiche wie beim volkstümlichen Rückenschwimmen. Siehe Übung 142!

147 ARMBEWEGUNG UND ATMUNG

Die Bewegungsausführung eines Armes ähnelt etwa der beim Rückenkraulschwimmen. Jedoch führen hier beide Arme synchron und symmetrisch dieselbe Bewegung aus: Vorbringphase über, Vortriebsphase im Wasser.

Die Atmung fügt sich der Bewegungskoordination ein:

Einatmen, wenn die Arme rückwärts über Wasser vorgeführt werden und der Brustkorb sich weitet.

Ausatmen, wenn die Arme ziehen und drücken.

148 GESAMTBEWEGUNG

Schwimmlage: flach, Körper locker gestreckt in Rückenlage und nicht im Hüftgelenk abgeknickt, Kopf leicht angehoben, Kinn etwas angezogen.

Die aktiven Phasen der Arm- und Beinbewegung folgen nacheinander in entsprechender Korrelation:

Die Arme beginnen mit ihrer aktiven Vortriebsphase im Wasser und beenden sie,

die Beine folgen mit ihrer Grätsch- und Vortriebsphase.

Während der Vortriebsphase der Beine werden die Arme nach rückwärts über Wasser vorgeführt.

Entspannen! Gleiten! Vortrieb ausnutzen!

SPRINGEN

EINFACHE SPRÜNGE FUSS- UND KOPFWÄRTS

ALLGEMEINES

Beim Unterrichten von Sprüngen ins Wasser wird vom Lehrenden außer fachlichem Wissen und Können besonderes pädagogisches Geschick erwartet. Ferner müssen Lehrer und Schüler wissen und beachten, daß beim Wasserspringen allgemein erhöhte Unfallgefahren bestehen, die bis zu akuter Lebensgefahr reichen.
Um die erforderliche Sicherheit und den notwendigen Ausbildungsprozeß beim Wasserspringen gewährleisten zu können, sind besondere **Sicherheitsmaßnahmen und Organisationsformen** zu berücksichtigen:

1. Springen nur im Springerbecken oder im Sprungteil des Schwimmbeckens lehren, lernen und üben!
2. Keine Kopf- und Startsprünge in Lehrschwimm- oder Nichtschwimmerbecken hinein ausführen!
3. Die Sprunganlage muß betriebssicher, die Absprungstelle rutschfest sein.
4. Die Mindestwassertiefe für Sprünge vom 1 m-Brett beträgt 3 m, für Sprünge vom 3 m-Brett 3,5 m.
5. In schwimm- und sprungtiefes Wasser dürfen grundsätzlich nur Freischwimmer und Organgesunde.
6. Nur springen, wenn Sprung- und Eintauchraum frei sind und der Unterrichtende das Zeichen gibt.
7. Kopfsprünge mit angelegten Armen sind verboten!
8. Gerade springen und auftauchen, über Wasser nach der vorher festgelegten Seite wegschwimmen!
9. Nicht unter oder vor Sprungbretter schwimmen! Nötigenfalls den Sprungbereich abgrenzen bzw. die Sprunganlage sperren!
10. Nicht quer zur Sprungrichtung der Sprunganlage oder von den Längsseiten ins Becken springen!
11. Nur wer die Sprünge vom 1 m-Brett beherrscht, darf diese auch vom 3 m-Brett ausführen.
12. Sprünge, vor allem Kopfsprünge, in unbekanntes oder undurchsichtiges, trübes Wasser sind immer gefährlich und daher zu unterlassen (Untiefen, Pfähle, Steine, Schlamm).

Nicht zu empfehlen sind Eintauchübungen kopfwärts wie

— im Lehrschwimmbecken von der Treppe oder vom Rand abspringen,
— in Bauchlage über den Beckenrand abrutschen,
— sich aus dem Sitz am Beckenrand mit den Füßen von der Überlaufrinne abdrücken,
— sich aus dem Sitz oder Hockstand vom Brett oder
— aus dem Kniestand auf beiden Knien fallen lassen.

Bei derartigen Übungen besteht die Gefahr des Abrutschens und Sichverletzens, während die Möglichkeit des Sichabdrückens und Sichstreckens fehlt.

Zu den **einfachen Sprüngen fuß- und kopfwärts** zählen Fußsprünge, Abfaller, Kopfsprünge, Rollen und Salti. Sie sind vom Turm- und Kunstspringen abzugrenzen. Nachfolgend werden **einfache Fußsprünge** sowie Übungsformen zum Vorbereiten und Erlernen des **Kopfsprunges** vom Beckenrand und Sprungbrett angeboten und erläutert.

FUSS-SPRÜNGE

AUSFÜHRUNG

Die Fußsprünge zuerst vom Beckenrand, dann vom 1 m-Brett, später auch vom 3 m-Brett ausführen,
zunächst ohne Betonung der Haltung weit, hoch, als Paketsprung und über die Stange,
später auch gestreckt, gehockt, gegrätscht, gehechtet und mit Drehung um die Längsachse (Schraube).
Erste einfache Fußsprünge vom Beckenrand werden bereits im Vorkursus geübt. Siehe Übungen 10 und 44! Zunächst ohne Untertauchen springen, später in sprungtiefes Wasser mit Untertauchen des Kopfes.

ÜBUNGSBEISPIELE

149 **Aus dem Sitz** am Beckenrand. — Auch mit Hilfe durch einen oder zwei Partner im Wasser.

150 **Aus dem Stand** mit beiden Füßen vorwärts abspringen.
K — Auch mit Partnerhilfe. — Wer springt am weitesten?

Übung 153

151 **Angehen oder Anlaufen** und Abspringen mit einem Fuß.

152 Einfache **Fußsprünge rückwärts** aus dem Stand.

153 **Angehen auf dem Brett** und Abspringen mit beiden
K Füßen, schwierigere Form für Fortgeschrittene:
Mit drei oder mehr Schritten angehen, Sprungbein beginnt, zum Aufsetzen Schwungbein gebeugt hochziehen und zum Brettende hoch anspringen, beide Arme parallel vorhochschwingen, mit beiden Füßen auf der Brettspitze aufsetzen und Arme abwärtsführen. Nach dem Rückfedern des Brettes mit beiden Füßen vom Brett abspringen, Arme wieder vorhochschwingen, Körper strecken und hochspringen, Arme an die Oberschenkel legen, senkrecht und gestreckt eintauchen.

KOPFSPRÜNGE

ZIEL

Durch Eintauchübungen soll die Grobform „Eintauchen kopfwärts-vorwärts ins Wasser" als Voraussetzung für die Kopfsprünge erlernt werden. Durch Körperhaltung und Bewegungsausführung sollen Gesicht, Brust, Unterleib und Oberschenkel vor schmerzhaftem Aufschlagen geschützt werden. Beim Eintauchen sollen daher Hüfte und Beine angespannt, der Körper gestreckt und die gestreckten Arme über dem Kopf geschlossen werden (Oberarme an die Ohren nehmen, Hände nebeneinanderlegen und Daumen verhaken).

ALLGEMEINES

Eintauchübungen können als Abfaller oder als Absprünge vom Beckenrand oder vom 1 m-Brett ausgeführt werden.
Bei **Abfallern** springt man nicht unmittelbar ab, sondern läßt sich in der eingenommenen, angespannten Haltung mehr oder weniger passiv durch die Schwerkraft des Körpers fallen und drehen. — Bei **Absprüngen** wird die Bewegung durch das aktive Abspringen und das anschließende Drehen und Strecken bestimmt. Absprünge führen häufig eher zum gewünschten Ziel als Abfaller. Das Abspringen kann mit einem Fuß oder mit beiden Füßen erfolgen.

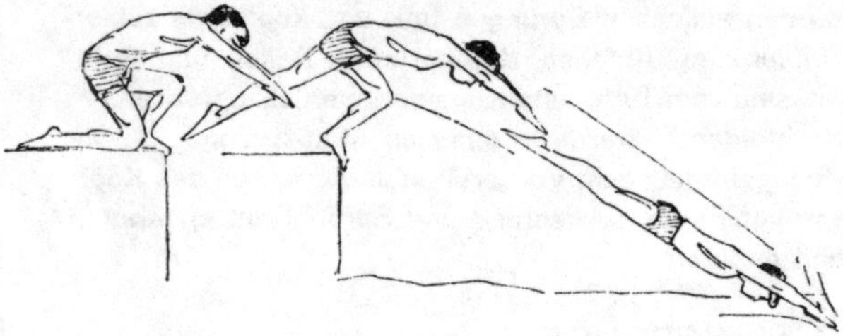

Übung 154

ÜBUNGSBEISPIELE

154 **Absprung aus dem Knie-Hockstand,**
K ein Sprung aus dem kombinierten Knie- und Hockstand auf je einem Bein, nicht von beiden Knien.
Ausgangsstellung: Mit den Zehen des aufgestellten Fußes die Becken- oder Brettkante umgreifen,
das andere Bein mit dem Knie so vor die Kante setzen (etwa handbreit), daß es nicht abrutschen kann,
die gestreckten Arme über dem Kopf schließen,
Kopf zur Brust hin senken, Kinn auf die Brust,
mit den Händen schräg nach vorn ins Wasser zeigen.
Bewegungsausführung: Aus diesem Knie-Hockstand vorkippen und sich mit dem aufgesetzten Fuß energisch abdrücken (abspringen), im Flug Beine schließen,
sich strecken und gestreckt eintauchen.

Übung 155

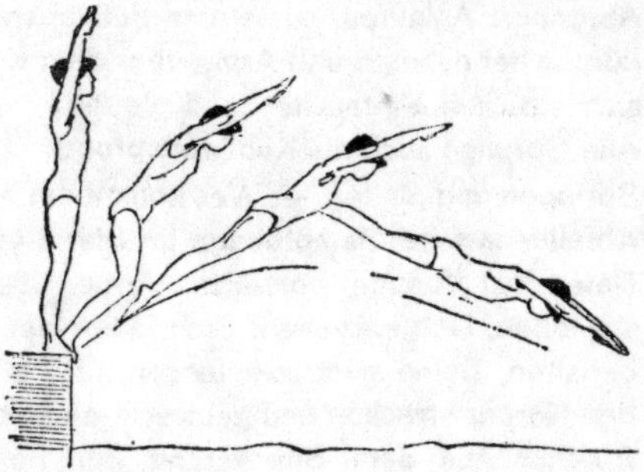
Übung 156

155 **Absprung aus dem Einbeinerstand,**
K ein aktiver Sprung von einem Fuß über eine schwunghafte und flüchtige „Standwaage".
Ausgangsstellung: Im Streckstand mit den Zehen die Kante umgreifen, Füße etwa fußbreit öffnen,
die gestreckten Arme über dem Kopf schließen.
Bewegungsausführung schwunghaft und ohne Zögern: Aus dem Streckstand heraus gleichzeitig Sprung- und Kniegelenke des Standbeines abbeugen (Knie vor), Schwungbein rückwärts hochschwingen und sich vorbeugen (Drehimpuls durch Hochschwingen und Schwerkraft), Kopf und Hände zielen jetzt ins Wasser,
weiter vorkippen und sich mit dem Standfuß kräftig abdrücken (abspringen), im Flug Beine schließen,
sich strecken und gestreckt eintauchen.

156 **Absprung aus dem Streckstand,**
K ein aktiver Sprung aus dem Streckstand und aus den gebeugten Gelenken heraus mit aktivem Drehimpuls.
Ausgangsstellung: Im Streckstand mit den Zehen die Kante umgreifen, Füße etwa fußbreit öffnen,
die gestreckten Arme schräg nach vorne-oben nehmen und über dem Kopf schließen.
Bewegungsausführung in einer Bewegungsfolge ohne Unterbrechung: Sprung-, Knie- und Hüftgelenke mäßig beugen (Sprungansatz), vorkippen und ohne Armschwung aus dieser Beugung heraus sofort mit beiden Füßen abspringen, vorwärts drehen (aktiver Drehimpuls), sich im Flug strecken und gestreckt eintauchen. —
Anmerkung zu 154–156: Diese Absprünge bilden eine didaktische Einheit in methodischer Übungsfolge.

157 **Abrenner:** Anlaufen, mit einem Fuß abspringen, Oberkörper tief nehmen und Arme über dem Kopf schließen, sich strecken, eintauchen und gleiten.

158 Alle Sprünge auch als **Kopfweitsprung:**
Springen und gleiten. — Wer kommt am weitesten?

159 **Abfaller aus der Rumpfbeuge im Stand vom 1 m-Brett:**
K Tiefe Rumpfbeuge vorwärts, Arme über dem Kopf schließen, Leib einziehen: Sich fallen lassen, Spannung behalten, Beine gestreckt lassen, im Fallen allmählich den Körper strecken und gestreckt eintauchen. —
Abfaller aus dem Streckstand, für Fortgeschrittene, werden vorteilhafter vom 3 m-Brett ausgeführt. — Abfaller aus dem Hockstand und Sitz vor- und rückwärts sowie aus dem Streckstand rückwärts vermeiden! —
Schwierigere Formen für Fortgeschrittene sind:

160 **Kopfsprung aus dem Federn im Stand auf dem Brett:**
K Am Brettende federn; Arme unterstützen durch Vorab- und Vorhochschwingen. Mit beiden Füßen abspringen und sich strecken, Beine nach hinten drücken und sich um die Frontalachse vorwärts drehen (aktiver Drehimpuls), Arme vornehmen und über dem Kopf schließen, hohe Flugkurve, gestreckt kopfwärts eintauchen.

161 **Kopfsprung vom Brett mit Angehen:**
K Angehen, aufsetzen und abspringen wie beim Fußsprung Übung 153, sich strecken, sich um die Frontalachse drehen und eintauchen wie beim Kopfsprung Übung 160.

STARTEN

ZIEL

Durch den Startsprung sollen Anfangsgeschwindigkeit und Raumgewinn optimal sein. Das Abspringen soll aus den gebeugten Gelenken reaktionsschnell und kraftvoll erfolgen, der Absprungimpuls soll den Körperschwerpunkt treffen. Die Flugphase soll weit und gestreckt, das Eintauchen flach und mit möglichst geringem Reibungswiderstand sein. Zu beachten ist, daß die Anfangsgeschwindigkeit beim Startsprung mehr als doppelt so groß ist wie die Schwimmgeschwindigkeit. Daher soll das Gleiten ausgenutzt und mit den Schwimmbewegungen erst begonnen werden, wenn die hohe Gleitgeschwindigkeit fast auf Schwimmgeschwindigkeit herabgesunken ist. —
Die allgemeinen Sicherheitsmaßnahmen für das Springen gelten auch für das Starten.

162 START BEIM BRUSTSCHWIMMEN
K **Beim Vorkommando** („Bitte die Plätze einnehmen!" oder „Auf die Plätze!") Ausgangsstellung einnehmen: Auf den Startblock (oder Beckenrand) treten, Füße 1 bis 2 Fuß breit öffnen, mit den Zehen die Kante umgreifen, Sprung-, Knie- und Hüftgelenke mehr oder weniger stark abbeugen, Körper vorneigen, Arme locker angespannt hängen lassen (oder in Seit-Rückhalte), Kopf

Übung 162

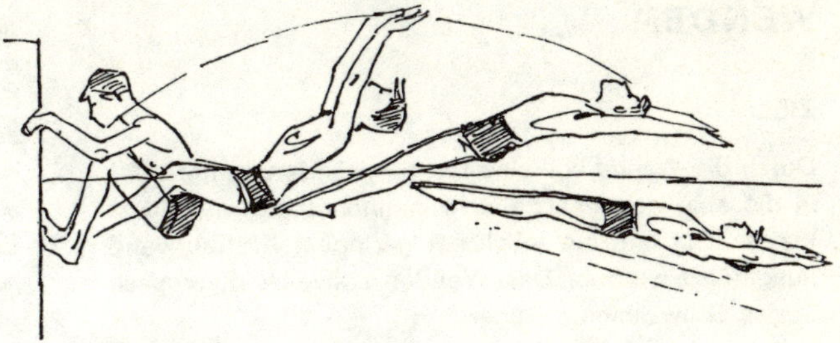

Übung 164

senken oder auch leicht anheben und nach vorn auf die Eintauchstelle blicken. Spannung des Körpers.

Beim Startkommando (Schuß, Pfiff oder „Los!") Sprung- und Kniegelenke blitzschnell federnd weiter beugen, vorfallen, Arme schwunghaft vorreißen, einatmen und kraftvoll abspringen, die gestreckten Arme über dem Kopf schließen, sich strecken und in flachem Bogen eintauchen. — Das Gleiten ausnutzen, dann Tauchbewegung ausführen, in flachem Bogen auftauchen und mit Gesamtbewegung weiterschwimmen.

163 START BEIM KRAULSCHWIMMEN

Ausgangsstellung, Absprung und Flugphase sind wie beim Brustschwimmen. Das Eintauchen soll jedoch flacher, das Auftauchen früher erfolgen. — Das Gleiten ausnutzen, dann mit der Beinbewegung und nach dem Auftauchen mit der Gesamtbewegung beginnen.

164 START BEIM RÜCKENKRAUL- UND RÜCKENSCHWIMMEN

Beim Vorkommando ins Wasser springen, einige Schwimmbewegungen ausführen. Mit den Händen Startgriffe oder Überlaufrinne fassen, Beine anhocken, Füße wenig öffnen und nahe der Oberfläche, jedoch unter Wasser an die Wand bringen, Sprungbein etwas höher, den Körper dicht an die Wand ziehen. Kauerhaltung, Spannung.

Beim Startkommando sich kraftvoll abdrücken und Arme schwungvoll rückwärts vorführen, einatmen, sich im ganzen Körper strecken und sich in flachem Bogen über Wasser schnellen, flach eintauchen, Kopf etwas anheben. — Gleiten ausnutzen, kurz vor Absinken auf Schwimmgeschwindigkeit mit der Beinbewegung beginnen, flach auftauchen, Gesamtbewegung ausführen.

WENDEN

ZIEL

Durch die Wende soll eine Richtungsänderung um 180° in die entgegengesetzte Schwimmrichtung in möglichst kurzer Zeit und mit möglichst geringem Kraftaufwand ausgeführt werden. Das Wenden soll sich rhythmisch in das Schwimmen einfügen.

ALLGEMEINES

Für die einzelnen Schwimmarten gibt es verschiedene Wendetechniken. Beim Brustschwimmen ist es die Drehwende, beim Kraulschwimmen sind es Dreh-, Kipp-, Roll- und Rückfallwende, beim Rückenkraulschwimmen Dreh- und Kippwende. Nachfolgend werden die einfacheren Drehwenden beschrieben.

Im Wettkampf muß beim Wenden die korrekte Einhaltung der Wettkampfbestimmungen gefordert werden. Bei Anfängern wird man dieses kaum erwarten können, sollte jedoch von Anfang an um eine optimal günstige und korrekte Form bemüht sein. Anfängern gelingt die Drehwende am ehesten. Sie fassen dabei auch gerne auf die Überlaufrinne und ziehen sich kurz heran, obwohl das Wenden dadurch schwerfälliger und langsamer wird. Geübte Schwimmer bevorzugen die schnelleren Kipp- und Rollwenden und berühren die Beckenwand nur flüchtig, aber in der Form, wie es die Wettkampfbestimmungen verlangen, und drehen sich blitzschnell. Für Wettkampfschwimmer wie für Anfänger aber gilt allgemein, rechtzeitig die Entfernung zur Wand abzuschätzen und danach die letzten Schwimmbewegungen einzuteilen, die Wand eindeutig und exakt zu berühren, das Drehen möglichst zeit- und kraftsparend und das Abstoßen mit sich steigerndem Impuls kraftvoll auszuführen sowie das Gleiten auszunutzen.

Den Drehwenden für das Brust-, Kraul- und Rückenkraulschwimmen ist gemeinsam, daß der Schwimmer beide Beine anhockt, beim eigentlichen Drehen den Kopf über Wasser hat und einatmet, sich nach dem Drehen unter Wasser aus der Hockhaltung abstößt und gleitet, beim Brustschwimmen unter Wasser eine Schwimmbewegung ausführt, beim Kraul- und Rückenkraulschwimmen mit der Beinbewegung beginnt, danach auftaucht und mit Gesamtbewegung weiterschwimmt.

VORÜBUNGEN im Wasser sind:

165 **Wenden in freiem Wasser** rechts und links herum bei gleicher Schwimmlage um die Sagittalachse in die entgegengesetzte Richtung. Dabei Beine anhocken.

166 **Wechsel von Brust- in Rückenlage** und umgekehrt in freiem Wasser durch Drehen um die Frontalachse in die entgegengesetzte Schwimmrichtung.

167 **Rolle vorwärts** beim Schwimmen in Brustlage und **Rolle rückwärts** beim Schwimmen in Rückenlage.

DREHWENDE BRUSTSCHWIMMEN

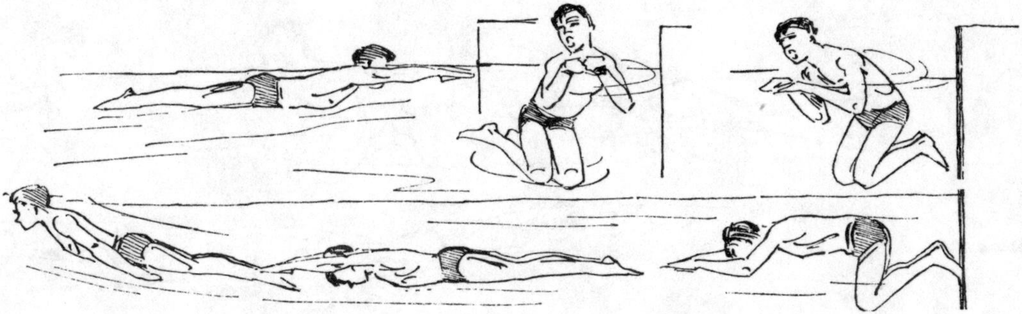

Übung 168

168 AUSFÜHRUNG

K Die letzten Schwimmbewegungen einteilen, in gestreckter Schwimmlage an die Wand gleiten, dabei ausatmen, in Brustlage, Schultern liegen dabei waagerecht, mit beiden Händen gleichzeitig die Wand berühren, beide Beine anhocken und angehockt lassen, mit Händen und Armen im Wasser stützen, dadurch Oberkörper kurz aufrichten und sich in Brustlage schwungvoll drehen, beliebig nach rechts oder links, dabei Kopf über Wasser lassen und tief einatmen, beide Füße leicht geöffnet an die Wand bringen, mit beiden Händen und Armen vor der Brust im Wasser stützen und sie dann strecken, das Drehen beenden, Kopf eintauchen und sich unter Wasser aus der Hockhaltung abstoßen, den Kraftimpuls dabei steigern, das Gleiten ausnutzen, unter Wasser ausatmen, unter Wasser eine Schwimmbewegung wie beim Strekkentauchen ausführen (Tauchbewegung), auftauchen, einatmen und weiterschwimmen.

Am Ziel mit beiden Händen gleichzeitig anschlagen.

Anmerkung: Es ist nur die Drehwende möglich.

DREHWENDE KRAULSCHWIMMEN

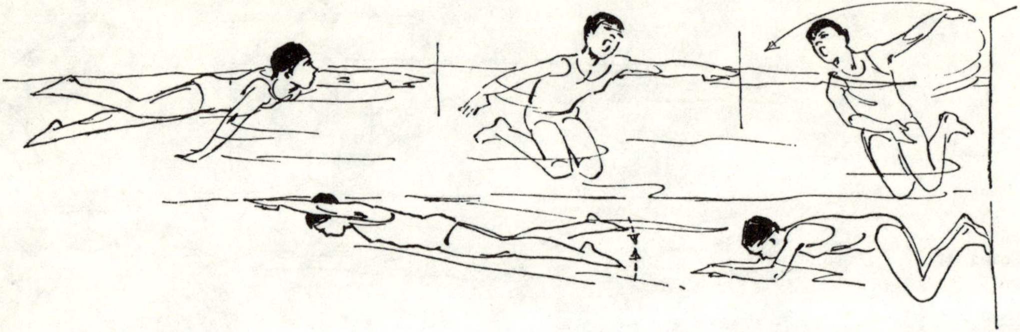

Übung 169

169 AUSFÜHRUNG

K Die letzten Schwimmbewegungen einteilen, in gestreckter Schwimmlage an die Wand gleiten, dabei ausatmen, mit der Anschlaghand die Wand berühren, mit dem anderen Arm im Wasser stützen, beide Beine anhocken, Oberkörper kurz aufrichten und sich schwungvoll zur offenen Seite hin drehen, beim Anschlagen mit der linken (rechten) Hand nach rechts (links) drehen, dabei Kopf über Wasser lassen und tief einatmen, den Anschlagarm **über Wasser** (in seitlicher Brustlage) oder **unter Wasser** (in Schwimmlage) vorführen, beide Füße leicht geöffnet an die Wand bringen, beide Arme in die neue Schwimmrichtung strecken, eintauchen, sich unter Wasser aus der Hockhaltung abstoßen, den Kraftimpuls dabei steigern, gleiten, ausatmen, mit der Beinbewegung beginnen, auftauchen, einatmen und Gesamtbewegung ausführen. Am Ziel mit einer Hand anschlagen.

Anmerkung: Statt der Drehwende bevorzugen geübte Schwimmer die schnelleren Kipp- und Rollwenden.

DREHWENDE RÜCKENKRAULSCHWIMMEN

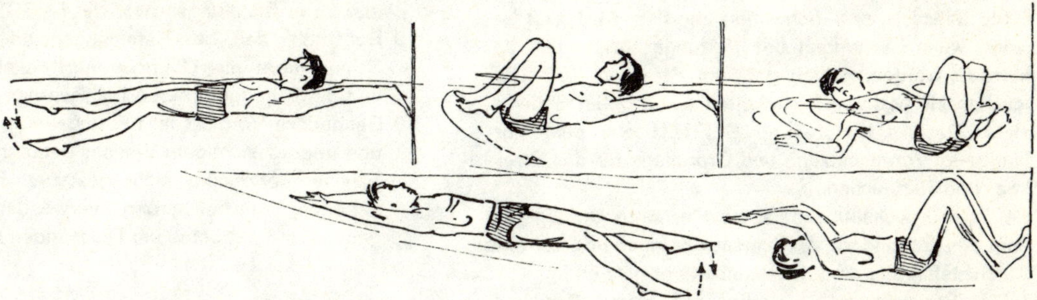

Übung 170

170 AUSFÜHRUNG

K Entfernung zur Wand abschätzen, auch durch seitliche Merkmale wie Einsteigleitern, die letzten Schwimmbewegungen danach einteilen, in gestreckter Schwimmlage an die Wand gleiten, dabei ausatmen,
in Rückenlage mit der Anschlaghand die Wand berühren oder auf die Überlaufrinne fassen und dadurch die Drehung unterstützen, mit dem anderen Arm das Drehen durch Stützen im Wasser oder Handpaddeln fördern, beide Beine anhocken und sich schwungvoll zur offenen Seite hin drehen, beim Anschlagen mit der linken (rechten) Hand in Schwimmrichtung nach rechts (links) drehen, Kopf und Körper bleiben dabei in waagerechter Rückenlage, tief einatmen, beide Füße leicht geöffnet an die Wand bringen, beide Arme nach rückwärts vorführen und sich unter Wasser aus der Hockhaltung abstoßen, den Kraftimpuls dabei steigern.
gleiten, ausatmen, mit der Beinbewegung beginnen, auftauchen, einatmen und Gesamtbewegung ausführen. Am Ziel mit einer Hand anschlagen.

Anmerkung: Statt der einfachen Drehwende bevorzugen geübte Rückenkrauler die schnellere Kippwende.

TAUCHEN

ALLGEMEINES

Echte Wasser- und Schwimmsicherheit wird erst erlangt, wenn Leistungen des Rettungsschwimmens beherrscht werden. Hierzu gehören Strecken- und Tieftauchen als wichtige Fertigkeiten eines guten Schwimmers. Das TAUCHEN und GLEITEN aus dem Vorkursus ist Voraussetzung und Grundlage für das Strekken- und Tieftauchen.

Bei allen Tauchübungen ist eine erhöhte Unfallgefahr gegeben. **Besondere Vorsichtsmaßnahmen und korrekte Aufsichtsführung** sind daher unbedingt notwendig:

1. Die Schwimmschüler vorher auf Herz-, Kreislauf- und Ohrenleiden überprüfen, ggf. durch einen Arzt. Herz-Kreislaufbelastung und erhöhten Wasserdruck beachten. Besondere Vorsicht bei Organschwächen. Bei Ohrenleiden gefettete Watte in die Ohren.
2. Die allgemeinen Sicherheitsmaßnahmen für das Springen beachten. Siehe S. 64.
3. Tauchbahn und -stelle genau anweisen und von anderen Schwimmern und Springern freihalten.
4. Streckentauchen nur auf Längsbahnen durchführen.
5. Einzeln tauchen lassen.
   Den Tauchenden ständig beobachten bzw. sichern.
6. Beim Tauchen unbedingt die Augen offen lassen.
7. Ausreichend üben, Leistung allmählich steigern.
8. Schwimmer nicht überfordern. Streckentauchen über 50 m ist verboten. Für Kinder genügen 10 m (Jugendschwimmschein), für Jugendliche 15 m (Grundschein) und 25 m (Leistungsschein der DLRG).
9. Beachten, daß bei Hemmungen oder Angst des Schwimmers die Übungen nicht exakt ausgeführt und die Unfallgefahren erhöht werden können.
10. Besondere Vorsicht ist bei unbekanntem Gewässer und undurchsichtigem Wasser geboten. Hier ist das Tauchen lehrmäßig nicht gestattet. Bei Rettungsaktionen Tauchsicherung verwenden: Auftriebsgegenstand mit Leine am Tauchenden befestigen.

STRECKENTAUCHEN

ZIEL

Nach kraftvollem Abspringen und Ausnutzen des Gleitens soll mit wenigen Tauchbewegungen die gewünschte Strecke in genügender Tauchtiefe geschafft werden.

171 AUSFÜHRUNG

K **Starten — einatmen — eintauchen — gleiten — tauchen**

Start durch Kopfweitsprung vom Beckenrand oder Startblock. Vorher durch mehrmaliges intensives Ein- und Ausatmen den Sauerstoffgehalt erhöhen. Vor dem Absprung tief ausatmen, beim Springen nur kurz einatmen, Lunge etwa halb voll, und Atem anhalten.

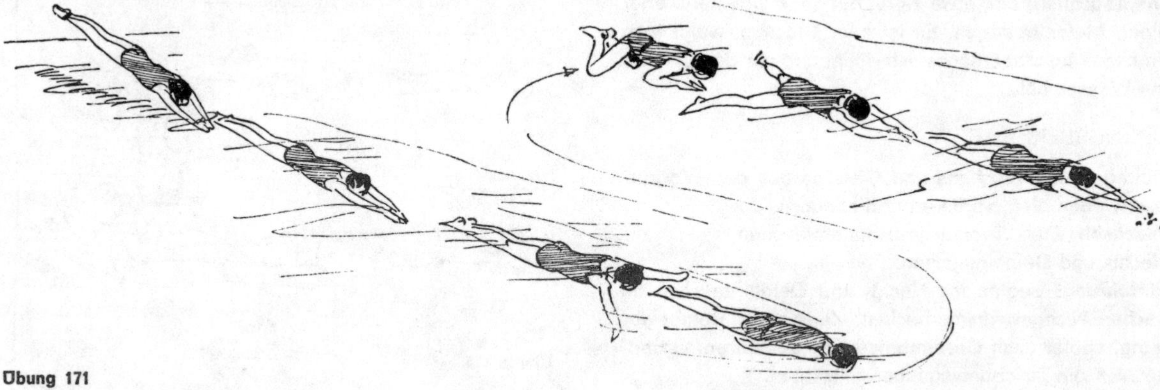

Übung 171

Nach dem Eintauchen ins Wasser Augen öffnen und das Gleiten ausnutzen, bis die hohe Gleitgeschwindigkeit fast auf Schwimmgeschwindigkeit herabgesunken ist. Siehe Starten! Die Schwimmgeschwindigkeit unter Wasser ist übrigens größer als über Wasser.
Kopf nicht anheben und kein Hohlkreuz machen, denn Kopf und Rumpf steuern die Bewegung mit.

GESAMTBEWEGUNG (TAUCHBEWEGUNG)

Arm- und Beinbewegungen erfolgen etwa wie beim Brustschwimmen. Jedoch ziehen Arme und gewölbte Hände bei der Unterwasserarmbewegung aus der Streckhaltung bis über die Schulterhöhe und drücken bis zu den Oberschenkeln. Mit dem Beenden dieser **Vortriebsphase** der Armbewegung beginnt die **Grätschphase** der Beinbewegung (Stoßgrätsche oder Schwunggrätsche).
Gleichzeitig werden Arme und Hände, Widerstand vermeidend, direkt unterm Körper nach vorn in die leicht geöffnete Streckhaltung vorgeschoben,
und die **Vortriebsphase** der Beinbewegung schließt die gesamte Tauchbewegung ab.
In der Strecklage das intensive Gleiten ausnutzen.
Auftrieb und Abtrieb dabei ausbalancieren.

Die Tauchtiefe soll etwa Körperlänge, mindestens aber einen Meter betragen. Es ist kein Tauchen, wenn man an der Wasseroberfläche schwimmt und nur das Gesicht ins Wasser hält.

ÜBUNGSBEISPIELE

172 Übungen des Tauchens und Gleitens aus dem Vorkur-
K sus wiederholen, variieren und steigern:
Wechsel-, Ziel-, Tunnel- und Slalomtauchen;
Hecht- und Delphintauchen.

173 **Einführung:** Beginn mit Hecht- und Delphintauchen im
K flachen Nichtschwimmerbecken. Zuerst nur Beinbewegung, später auch Gesamtbewegung ausführen. Grundsätzlich die Tauchbewegungen mitzählen.

174 Nur 1, 2, 3, 5 Tauchbewegungen ausführen. —
K Wer kommt am weitesten?

175 Wer braucht **die wenigsten Tauchbewegungen,** um 10 m,
K 15 m, um die Schwimmbahn zu schaffen? —
Auf langen Bahnen Zielpunkte markieren: Tauchgegenstand auf die Tauchbahn legen oder Partner neben die Tauchbahn oder am Rand auf die Raststufe stellen.

176 **Kopfweitsprung,** tauchen und gleiten lassen ohne Tauchbewegungen. — Wer kommt am weitesten?

177 **Tauchwende:** Unter Wasser etwa wie die Drehwende
K beim Brustschwimmen ausführen, jedoch ohne Auf richten und Atmen: Anschlagen, anhocken und drehen, abstoßen, strecken und gleiten, weiterschwimmen.

Übung 177

MÖGLICHE FEHLER

Anfänger haben oft Hemmungen oder Angst, was zu Fehlern oder Fehlleistungen führt.
Der Übende atmet falsch (zuviel oder ungenügend).
Seine Tauchbewegungen sind hastig, die Armbewegungen führen nicht ganz durch bis zum Oberschenkel.
Er nutzt das Gleiten nicht aus.
Er weicht von der Tauchbahn ab (ein Arm zieht stärker, oder die Augen sind nicht geöffnet).
Die Kopf- oder Körperhaltung ist falsch.
Er taucht nicht tief genug oder schwimmt an der Wasseroberfläche und hält nur das Gesicht ins Wasser.

TIEFTAUCHEN

Übung 178

Übung 179

ZIEL
Durch steilen Kopfsprung oder aus der Schwimmlage soll unter Ausnutzung des Abtriebs mit wenigen Tauchbewegungen die gewünschte Tauchtiefe erreicht bzw. die geforderte Tauchaufgabe gelöst werden.
AUSFÜHRUNG
Die Atmung erfolgt etwa wie beim Streckentauchen, wenig Luft mitnehmen. Unbedingt Augen öffnen. —
Um am Grund zu bleiben, genügen meistens Beinbewegungen, auch Kraulbeinbewegung.
Um an die Oberfläche zurückzukommen, den Kopf anheben, sich mit den Händen vom Wasser abdrücken, die Beine anhocken und sich mit den Füßen vom Boden abstoßen: In Streckhaltung nach oben schießen, eventuell zusätzlich noch Schwimmbewegungen anschließen.

178 TAUCHEN DURCH KOPFSPRUNG

K Steiler Kopfsprung vom Beckenrand oder Sprungbrett, Arme über dem Kopf schließen, gestreckt eintauchen.

179 TAUCHEN VON DER OBERFLÄCHE FUSSWÄRTS

K Wassertreten ausführen (Übg. 24). Durch Beinbewegung des Brustschwimmens Oberkörper über Wasser drücken, Arme hochstrecken, Beine, Füße und Körper strecken, senkrecht absinken, dabei ausatmen. Unten sich kopfwärts-vorwärts drehen, Tauchaufgabe lösen.

Übung 180

Übung 182

180 Wie Übung 179. **Bei größeren Tiefen** Hände an die Oberschenkel legen und sich gestreckt und senkrecht absinken lassen. Dann Arme nach oben in Streckhaltung drücken (umgekehrte Armbewegung vom Streckentauchen), um den Abtrieb zu vergrößern. Unten sich drehen.

181 Wie Übung 179. **Bei Nachlassen des Absinkens** auch Kopf senken, Oberkörper im Hüftgelenk stark abbeugen und durch Tauchbewegungen kopfwärts-abwärts größere Tiefen erreichen oder Tauchstelle absuchen.

182 TAUCHEN AUS DER SCHWIMMLAGE KOPFWÄRTS

K Aus der Schwimmlage oder beim Wassertreten den Oberkörper über Wasser drücken, stark im Hüftgelenk abbeugen, Kopf und Arme nach unten nehmen, Beine nach oben heben und den ganzen Körper strecken. Dadurch kopfwärts-abwärts tauchen.
Mit Tauchbewegungen größere Tiefen erreichen, Ziele anschwimmen oder Tauchstellen absuchen.

MÖGLICHE FEHLER

Der Übende führt keine exakten Tauchbewegungen aus.
Er nimmt den Kopf in den Nacken oder macht ein Hohlkreuz und taucht dadurch sofort wieder auf.
Er atmet falsch und hat zuviel Luft eingeatmet (zu starker Auftrieb und zu große Pressung).
Er öffnet die Augen nicht: Keine Orientierung.

BEDINGUNGEN FÜR SCHWIMMPRÜFUNGEN

VORBEMERKUNGEN

Bei allen Prüfungen die einschlägigen und gültigen Prüfungsbestimmungen befolgen. Insbesondere Sicherheitsmaßnahmen beachten und Rettungsgerät einsatzbereit halten. Siehe S. 15! Kein Dauerschwimmen von mehr als 30 Minuten zulassen und prüfen. –
Frei- und Fahrtenschwimmerzeugnis und Jugendschwimmschein bilden den Jugendschwimmpaß.

FREISCHWIMMERZEUGNIS

1. 15 Minuten Dauerschwimmen in schwimmtiefem Wasser in beliebiger Schwimmart.
2. Beliebiger Sprung aus 1 bis 2 m Höhe in sprungtiefes Wasser (3 bis 3,5 m tief). *

FAHRTENSCHWIMMERZEUGNIS

1. 30 Min. Dauerschwimmen in schwimmtiefem Wasser.
2. Beliebiger Sprung aus 3 m Höhe in sprungtiefes Wasser (3,5 m tief). *

*) Als weitere Bedingungen für das Frei- bzw. Fahrtenschwimmerzeugnis empfehlen und verlangen wir in der Regel Tieftauchen nach einem Tauchgegenstand in etwa 2 m Tauchtiefe sowie Streckentauchen von etwa 5 bzw. 7,5 m.

JUGENDSCHWIMMSCHEIN

1. 200 m Streckenschwimmen in beliebiger Schwimmart, Stilnote: gut.
2. 50 m Schnellschwimmen in beliebiger Schwimmart. Mindestzeit in stehendem Wasser bis 70 Sekunden.
3. 25 m Rückenschwimmen, davon 15 m ohne Armtätigkeit; Paddeln ist nicht zulässig, Arme sind über der Brust zu kreuzen.
4. Streckentauchen, Mindestleistung 10 m, vom Absprung aus gemessen.
5. Teller- oder Ringtauchen: Mindestens 3 von 6 Tellern oder Ringen auf 5×5 m Grundfläche in 1 bis 3 Tauchgängen heraufholen, Mindestzeit bis 3 Minuten.
6. Beliebiger Sprung aus 3 m Höhe in sprungtiefes Wasser (3,5 m tief).
7. 30 m Transportieren eines gleichschweren Partners durch Ziehen oder Schieben.
8. Nachweis folgender Kenntnisse:
   a) Allgemeine Baderegeln,
   b) Selbsthilfe bei Gefahren im und am Wasser (Bade-, Boots- und Eisunfälle).

ERLÄUTERUNGEN ZU DEN FOTOS

Die ausgewählten Abbildungen sind als Bewegungsbeispiele im Zusammenhang mit Text und Skizze direkte Hilfen für didaktische und methodische Überlegungen und Maßnahmen. Fotos zeigen jedoch immer nur einen einzigen von unendlich vielen Momenten einer umfassenden Bewegungseinheit oder von bestimmten Bewegungsabläufen. Im Gegensatz dazu hat das unmittelbare Anschauen eines Schwimmvorgangs oder eines Schwimmfilmes seine spezielle Funktion und Bedeutung, ist aber gleichfalls räumlich und zeitlich begrenzt. Bewegungsvorbild, Film und Momentfoto besitzen jeweils ihren eigenen Veranschaulichungscharakter und ihren eigenen didaktischen Wert.

Momentfotos bieten dabei die Möglichkeit, Bewegungen oder Übungsformen in einer bestimmten räumlichen und zeitlichen Fixierung zu analysieren, aufzunehmen und in Bewegung umzusetzen. Aneinanderreihen, Vergleichen und Gegenüberstellen verschiedener Fotos erweitern diese Möglichkeiten. Mehrere Ansichten derselben Bewegung von der Seite, von vorn oder von oben erleichtern das Auswerten und Anwenden. —

Bewegungsabläufe beim Schwimmen sind fototechnisch auf dem Aufnahmewege Luft-Wasser nicht immer leicht festzuhalten. Zahllose Lichtbrechungen und -reflexe verursachen Unschärfen und Verzerrungen. Andererseits lassen sich aber an dem bewegten und veränderten Wasser bestimmte Bewegungen direkt ablesen. Beispielsweise wird bei Foto 31 das flache, mehr horizontale Vorschwingen des Armes beim Kraulschwimmen (Übg. 116) an der fast halbkreisförmigen Tropfenreihe des Wassers deutlich sichtbar. Bei den Fotos 32, 33, 36, 37 zeugt das aufgewühlte Wasser von der flossenartigen, vorwärtstreibenden Schlagwirkung von Unterschenkel und Fuß bei der Kraulbeinbewegung. Die Bugwellen bei den Fotos 10, 14, 22, 26, 27, 48 verdeutlichen Kraft und Schnelligkeit beim Vorwärtsschwimmen. —

Die Aufnahmen stammen aus den Jahren 1966 bis 1970. Sie sind zum Teil vom 3-m-Brett aus fotografiert. In einigen Fällen wurde versucht, die Beinbewegung durch Überziehen einer dunklen Strumpfhose besser zu kennzeichnen. — Die Fotos zeigen Kleinkinder, 1 bis 4 Jahre, Schüler und Schülerinnen (Nicht- und Freischwimmer), 8 bis 11 Jahre, sowie Andrea (12) und Ulrike (13), zwei Schülerinnen mit guten Schwimmleistungen. —

Weltklasseschwimmerin Uta Frommater (21), Oldenburg, deren Stil vor allem von Amerikanern und Russen kopiert wird, stellte sich ferner freundlicherweise für Aufnahmen zur Verfügung. Uta Frommater ist vielfache Deutsche Meisterin und mehrfache Titelhalterin im 100- und 200 m-Brustschwimmen der Damen der letzten Jahre sowie Olympiasiegerin 1968 in der 4x100 m-Lagenstaffel der Damen.

1: Hohes Kopfheben, Auftreiben, Zappeln, 1;1 Jahre

3: Rückwärtsbewegen mit Armen und Beinen, 4;5 Jahre

Wassergewöhnen im Freibad

2: Vorwärts durch „Kraulbeinbewegung", 2;3 Jahre

4: Spielen mit Luftmatratze und Ball, 8 u. 9 Jahre

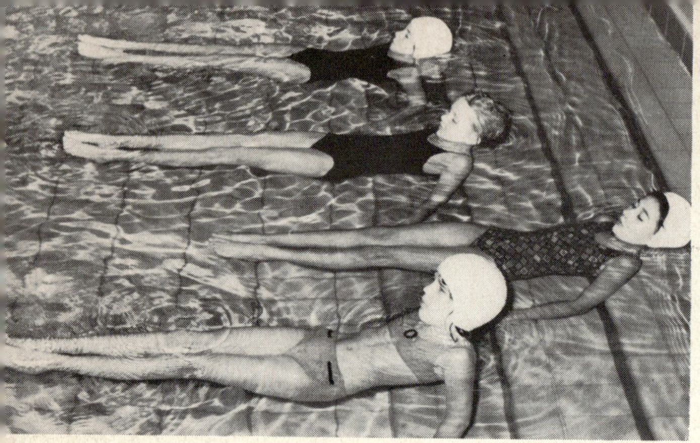

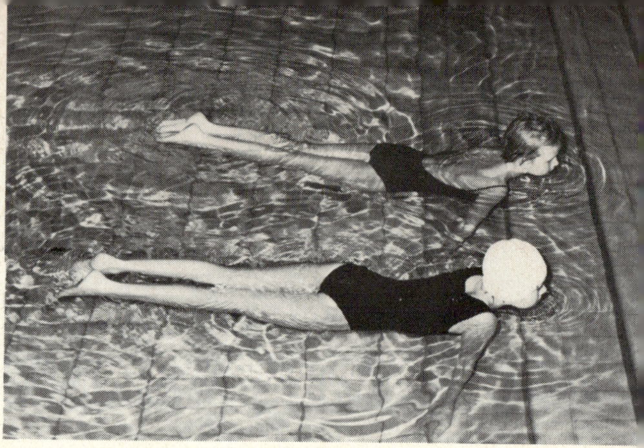

5, 6: Auftreiben auf der Treppe: in Rückenlage, Übg. 11, in Brustlage, Übg. 13, 10 Jahre

7: Den Partner auf einer Hand tragen, Übg. 16 (10 u. 11)

8: Hockschwebe (Schwebephase), Übg. 19, Andrea (12)

9: Ausgangsstellung, Übg. 45

11: Gleitphase, Übg. 45

Gleiten (Hechtschießen), 10 Jahre

10: Bewegungseinleitung, Übg. 45

12: Gleiten mit Kraulbeinbewegung, Übg. 51 und 128

13: Ziehen der Arme, einatmen

14: Vorbringen der Arme, ausatmen

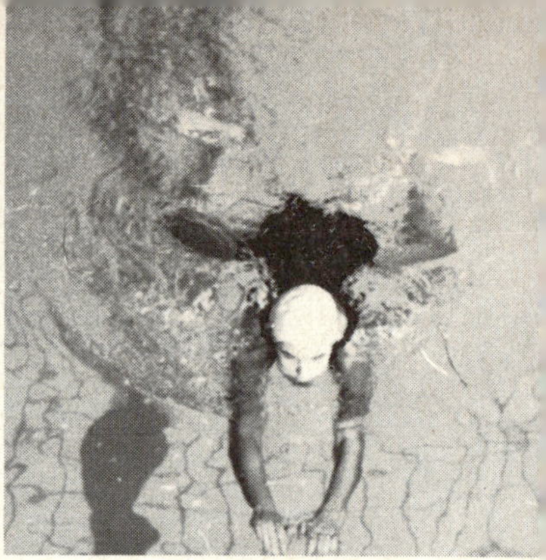

15: Schwingen der Beine

Brustschwimmen, Uta Frommater

16: Ziehen der Arme, Beine vor dem Beugen

17: Vorbringen der Arme, Schwingen der Beine

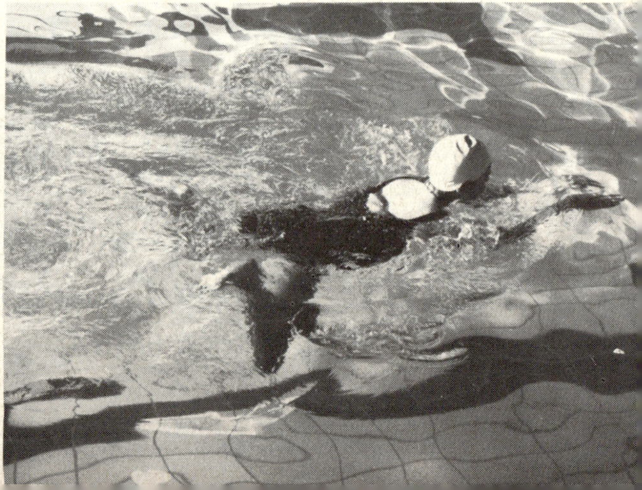

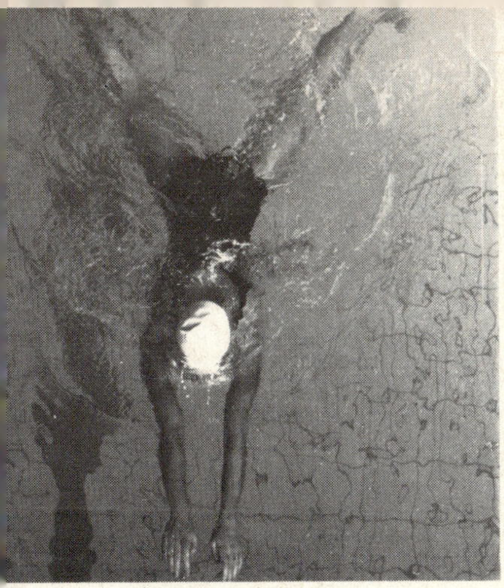

18: Schließen der Beine

19, 20: Beginn der Schließphase der Beine, Yvonne (10), Ulrike (13)

Brustschwimmen, Uta Frommater (Abb. 18, 21, 22)

21, 22: Training mit rotem Schwimmbrett, Schwung- und Schließphase der Beine, Uta Frommater

23: Zugphase der Arme, einatmen

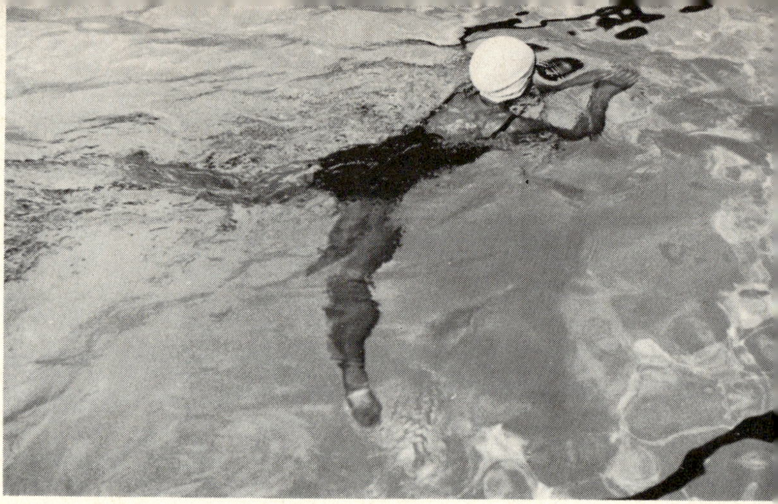

25: Beginn der Schließphase der Beine

Brustschwimmen, Andrea, 12 Jahre

24: Vorbringen der Arme, Schwingen der Beine

26: Gleitphase, Vortrieb nutzen, ausatmen

27: Einatmen, Arm flach über Wasser vorschwingen,

28: Übg. 116 (Ausführung 1), Uta Frommater

29: Arm angewinkelt, Übg. 117 (Ausf. 2), Andrea (12)

30: Einatmen im Bugwellental, Ulrike (13)

31

32

33

Kraul- und Rückenkraulschwimmen, Uta Frommater, vom 3-m-Brett aus fotografiert

Arm- und Beinbewegungen lassen sich auch an der Wasserveränderung ablesen

34, 35: Bein und Fuß im oberen Wendepunkt gestreckt: Flossenartige Schlagwirkung

Rückenkraulschwimmen, Uta Frommater (Abb. 34 bis 36)

36: Arm locker gestreckt über Wasser vorführen

37: Fast gleiche Bewegungsausführung, Andrea (12)

38, 39: Aus dem Knie-Hockstand, Übg. 154: Ausgangsstellung und Absprungphase, Birgitt (10)

Absprünge, Eintauchen kopfwärts-vorwärts

40 bis 42: Aus dem Streckstand, Übg. 156: Übergang zum Sprungansatz (40), Flugphase (41) . . .

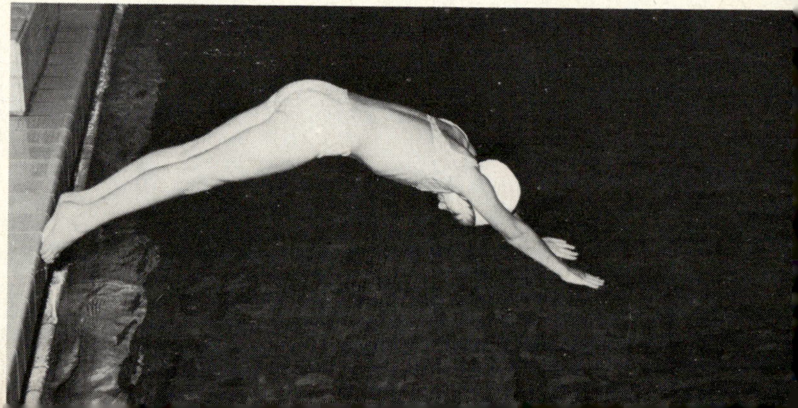

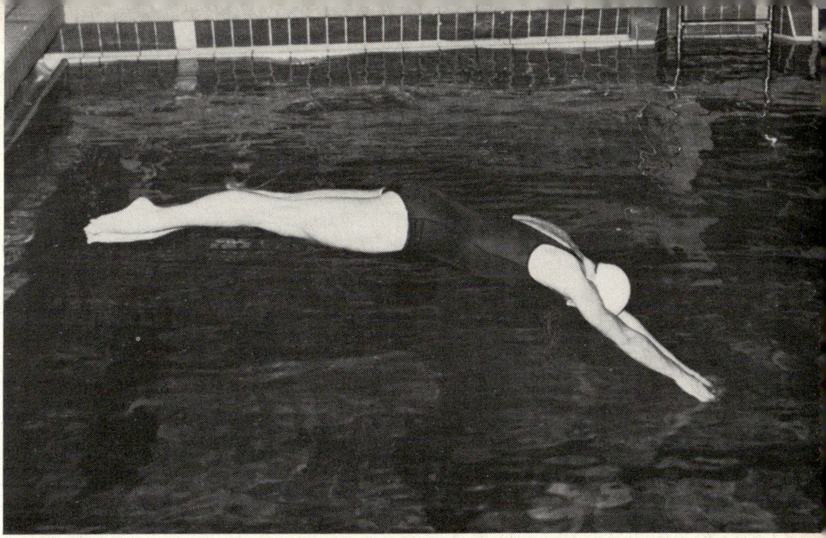

43, 44: Start beim Brustschwimmen vom Beckenrand, Übg. 162, Ausgangsstellung und Flugphase, Uta Frommater

42: und gestrecktes Eintauchen, Yvonne (10)

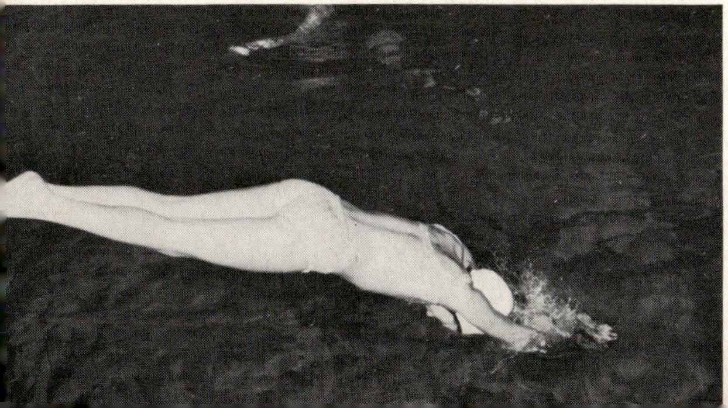

45: Vom Startblock, Flugphase, Andrea (12)

46: Anschlag mit einer Hand beim Kraulschwimmen

47: Hohe Wende (Drehwende), und bei jeder

Wenden, Uta Frommater

49: Unterwasserphase nach dem Wenden (Rückenkraulschwimmen): Beinbewegung, Beginn der Armbewegung rechts, ausatmen

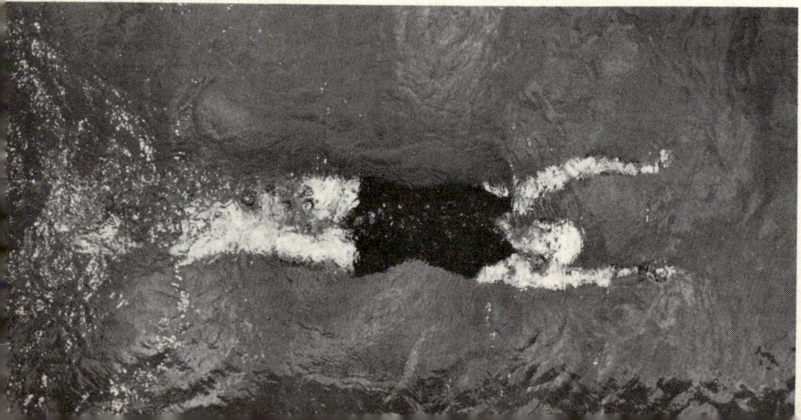

48: Wende die gleiche ökonomische Ausführung (Kraulschwimmen)

BADE- UND SCHWIMMREGELN

Baden und Schwimmen dienen der Erholung, Freude und Ertüchtigung. Wegen zahlreicher Unfallgefahren sollten jedoch wichtige Bade- und Schwimmregeln gekannt und beachtet werden, besonders in Freibädern und bei offenen Bade- und Schwimmgelegenheiten.

1. In gesundheitlichen Zweifelsfällen einen Arzt befragen, besonders bei Herz-, Kreislauf- und Ohrenleiden. — Als Kind oder Jugendlicher nur mit Zustimmung der Eltern baden.
2. Die Schwimmbadordnung beachten. Den Anweisungen der Aufsicht Folge leisten; sich in Notfällen an sie wenden. Nicht unnötig um Hilfe rufen.
3. Sich vor dem Baden abkühlen und reinigen (Dusche). Nach körperlichen Anstrengungen nicht sofort und verschwitzt ins Wasser springen. Vorsichtig bei und nach intensivem Sonnenbaden sein.
4. Nach einer Hauptmahlzeit nicht mit vollem Magen schwimmen; mindestens 1—2 Stunden warten.
5. Die Sicherheitsmaßnahmen für das Springen beachten. Siehe S. 64! Das Wasser muß sprungtief, der Sprungraum frei sein. Nicht in unbekanntes oder trübes Wasser springen (Untiefen, Pfahlreste).
6. Bei Tief- und Streckentauchen besondere Vorsicht walten lassen. Siehe S. 74! Bei Rettungsaktionen Tauchsicherung verwenden.
7. Andere nicht ins Wasser stoßen, untertauchen oder beim Spiel stören, vor allem keine Nichtschwimmer. Sich und andere nicht in Gefahr bringen.
8. Ein Dauerbaden und -schwimmen vermeiden. Jede Überanstrengung schadet. Bei Frostgefühl aus dem Wasser gehen und sich anziehen.
9. Niemals größere Strecken in Fluß, See oder Meer allein oder ohne Sicherung (Boot) bewältigen. Sich vorher nach den Wasserverhältnissen erkundigen: Tiefe, Strömungen, Pflanzen. Die meisten Flüsse sind heute verschmutzt und verseucht und nicht mehr zum Schwimmen geeignet. — Beim Benutzen von Luftreifen und -matratzen, Badeschiffchen oder dgl. vorsichtig sein, besonders als Nichtschwimmer und bei ablandigem Wind.
10. An unbeaufsichtigten, gefährlichen oder verbotenen Stellen (Landungsbrücken, Schleusen, Wehre, Buhnen) nicht baden. Nicht an verankerte oder vorbeifahrende Boote und Schiffe schwimmen.
11. Am offenen Meer mit Gezeiten nur an den gekennzeichneten und beaufsichtigten Stellen und zu den angegebenen Zeiten baden und schwimmen. Starke Wellen, Brandung, Strömung und Sog sind gefährlich. Möglichst mit Sicherung durch Partner und nicht in größeren Gruppen baden.
12. Schwimmbad und Badestelle sauberhalten. Keine Flaschen, Scherben, keinen Unrat zurücklassen.

LITERATUR

1. Andreas, Paul:
Schwimmen, Lernen — Trainieren — Kämpfen, 6. Aufl., Limpert-Verlag, Frankfurt, 1968.
2. Autorenkollektiv unter Leitung von Lewin, Gerh.:
Schwimmsport, Grundausbildung, Grundlagentraining, 2. Aufl., Sportverlag Berlin, 1967.
3. Braecklein, Heinz:
Methodische Übungsreihen im Schwimmen, Verlag Hofmann, Schorndorf, 1969.
4. Braecklein, Heinz:
Wasserspringen, lernen — üben — leisten, Verlag Hofmann, Schorndorf, 1964.
5. Brockmann, Peter:
Arbeitshilfen für den Schwimmunterricht, Sonderdruck aus dem Schulverwaltungsblatt für Niedersachsen, Nr. 9 und 10/1964, Hannover.
6. Deutscher Sportbund:
Fit sein — Sportabzeichen, Frankfurt, 1964, Beitrag Heiner Brinkmann, Schwimmen.
Limpert-Verlag, Frankfurt.
7. Institut für Sportstättenbau, Deutscher Sportbund:
Bäder, Köln 1967.
8. Klemm, Franz:
Grundschule des Schwimmens, 7. Aufl., Limpert-Verlag, Frankfurt, 1969.
9. Löhr, Karl:
Lernt Schwimmen und Retten, Lehrbuch der DLRG, Verlag Hofmann, Schorndorf, 1967.
10. Lorenzen, Hans:
Schwimmlehre — Baden und Schwimmen mit Kindern, Retten, 4. Aufl., Putty Verlag, Wuppertal, 1965.
11. Mielke, Wilhelm:
Schwimmenlernen — erproben und üben, Verlag Hofmann, Schorndorf, 1966.
12. Rajki, Béla:
Die Technik des Sportschwimmens, Pannonia-Verlag, Budapest, 1956.
13. Reithmayer, Ludwig:
Schwimmen, Lehrmeister-Bücherei Nr. 1073, Philler Verlag, Minden, o. J.
14. Wießner, Kurt:
Natürlicher Schwimmunterricht, 4. Aufl., Verlag für Jugend und Volk, Wien, 1950.

UNTERRICHTSFILME

15. Institut für Film und Bild, München:
FT 561 Anfängerschwimmen, München, 1961; und
16. FT 562 Grundformen der Schwimmarten, 1961.
17. Deutsche Sporthochschule Köln:
Lehrfilm Schwimmen I und II, Köln, 1961.